河出文庫

結婚帝国

上野千鶴子・信田さよ子

河出書房新社

結婚帝国　目次

第一章　性規範と性行動のギャップを生きる三十代

第二章　「かけがえのなさ」の解体と純愛願望

第三章　「愛はなくてもセックスできる」は常識なのに

第四章　男の「愛」とセクシュアリティ

第五章　去勢しないかぎり、暴力は続くのか

第六章　結婚難民よ、どこへ行く

第八章　人は、社会的存在でなければならないのか

結婚帝国

まえがき――非婚化・少子化の先駆け

上野千鶴子

データを見ているとおもしろいことがわかる。三十代の日本の女は、日本社会の非婚化・少子化の先駆けの世代である。男女雇用機会均等法以後に社会に出たポスト均等法世代で、平等意識をあたりまえのように持っているが、実際には強固な男社会の壁にぶつかって「ガラスの天井」を経験している。長びく不況と怒濤（どとう）のごとく進行している雇用の柔軟化のあおりを受けて、派遣やパートでわりを食ってもいる。とはいえ、バブル期の繁栄を忘れられないだけでなく、親のもとにパラサイトしているおかげで、高い消費性向も謳歌（おうか）している。いっぽうで、刻々と出産の「バイオロジカル・クロック」の時限は迫り、女の「賞味期限切れ」も間近い。太いすねを持っていた親も、高齢化で要介護状態に移行しつつある。結婚してもしなくても、親の介護からは逃れられない……この世代の動向が、近い将来の日本社会の方向を決める、とわたしは考えてきた。そしてこのような世代は、日本社会では一過性のもので、二度とふたたびあらわれないだろう、とも。つまり彼女たちは、日本社会が根底から変化するその過渡期の世代なのだ。

この世代を中心に、日本の女の「現実（いま）」に何が起きているのか、わたしは敬愛する友人、信田さよ子さんとさしで話し合ってみたい、と願っていた。カウンセラーである信田さんは、問題を抱えた女のひとりひとりの事例と、なまで向き合っている。わたしは社会学者として、マクロやミクロのデータをフォローしている。そのなかから生まれたお互いの観察や経験をつきあわせてみたらさぞおもしろい結果になるだろう、という予感から、本書は生まれた。

さまざまな事情から対談の時期より二年近く刊行は遅れたが、本書で語られた内容は、今からふりかえってみれば、酒井順子さんの『負け犬の遠吠え』（講談社、二〇〇三年）を先取りし、小倉千加子さんの『結婚の条件』（朝日新聞社、二〇〇三年）を、マクロとミクロの両面から裏づける分析になっていると思う。

同性同士のあけすけな語らいを、英語では「ロッカールーム・トーク」と言う。ほんとはもったいなくてほかに洩らしたくはないが、そのなかにあなたにもこっそり加わってもらいたい……そう思って、本書をお届けすることにした。

二〇〇四年　桜の開花を待つ日に

文庫版まえがき

上野千鶴子

十年前の対談がふたたび生き返って、他の出版社から文庫版として刊行されることになった。近未来予測というのは当たることもあればはずれることもあるので、誰にとってもこわいものだが、幸いに前回の対談の予測力はそれほど低くなかった証拠だと思いたい。それでもこの十年の変化は大きかった。変化の方向の予測ははずれていなかったが、変化のスピードは思ったよりもずっと速かった。それで新たに対談を追加して、増補版として刊行することになった。

「婚活」ブームのさなかに、本書をふたたび世に送り出すことができたのはうれしい。最初のタイトル案は『結婚難民』だった。旧版の出版社にこのタイトルを提案したら「難民」という響きが暗いからやめたい、と却下された。そのうちに他の出版社から同じタイトルの書物が出てしまったので、この書名は使えなくなった。かえすがえすも残念。「往くも地獄、とどまるも地獄」の語感を、「難民」という表現はよくいいあらわしていると思ったのだけれど。

結婚したからといって人生がリセットされるわけではないし、しないからといってお先まっくらなわけでもない。家族がセキュリティグッズになることもあるが、最大のリスクになることもある。男にとってはもとからそうだったが、女にとっても結婚が人生のパーツのひとつにすぎなくなったのは、よいことだ。それで人生がまるごと変わるわけではない。夫も子どももあったほうがよい場合もあるし、ないほうがよい場合もある。ただたんにそれだけのこと。なにがなんでもしなければならないものではない、となれば、どんな結婚なら、どんな家族ならのぞましいか、を考えることができるようになった。結婚も離婚も選択肢のひとつになった社会は、そうでない社会よりも、女にとってずっとましな社会だと思う。

どこかのおじさんやおばさんがいうように、「とりあえず結婚しなさい」とか「だれでもいいから結婚しなさい」なんていう無責任な言辞には耳を貸さないよーに（笑）。もうそんな時代はとっくに終わったのだから。

二〇一一年四月

第一章　性規範と性行動のギャップを生きる三十代

三十代がセクシュアリティの分岐点

上野　『データブック　NHK日本人の性行動・性意識』（日本放送出版協会、二〇〇二年）という本の中で、社会学者の宮台真司さんと調査結果のデータをもとに対談をしたことがあるんですが、そのデータには、日本人のセクシュアリティ（性にかかわる欲望と観念）の特徴、ジェンダーギャップ（「ジェンダー」は、文化と社会によって作られた性差）が明々白々に表れています。ジェネレーションギャップも非常にクリアに出ています。

三十代が性意識と性行動の分岐点だということがよくわかります。三十代は非婚少子化のトレンドの担い手ですよね。三十代の前半ぐらいだと、女の三分の二が結婚していて、三分の一が結婚していない。男はほぼ半分が未婚者です。

三十代は、上の世代との分岐が非常にはっきりしていて、しかも意識の上では上の世代の価値観を刷りこまれながら、一方で行動が変化してしまっている。つまり、自分の性行動が変わってしまっているにもかかわらず、超自我はやっぱりそれに対して規範的なイエス、ノーを言っていることになります。ですから、三十代女は、意識と行動が「股裂き状態」で生きているということが、実によくわかるデータでした。マクロな調査の数字ってバカにしたものではないなと思います。

　意識と行動の「股裂き状態」は、二十代、十代になるとなくなります。なぜかというと、二十代、十代の場合は、変化してしまった行動に合わせて規範も変わってしまっているからです。そこから何がわかるかというと、三十代を分岐とすると、規範と行動が旧世代で一致しているのが四十代以上なんです。四十代以上の女たちを今の中高生、十代の親としましょう。そうすると、性規範と性行動のギャップを三十代女は自分の身体（からだ）で生き、十代と二十代の若い娘たちは母親との世代間対立として生きるということが、ほぼ予測できるような数字でした。そうなると、十代、二十代の若い娘たちと四十代以上の母親の世代は、異文化と言っていいほどセクシュアリティについては断絶があることがわかります（20ページのコラム参照）。

　これがマクロの動向なんですが、現在の日本人のセクシュアリティの変容を考えていくと、「三十代」「女」がキーポイントになるという予測がつくんですね。そこでわたしが興味津々（しんしん）なのは、同じ現象をカウンセリングという窓からのぞいたときに、信田さんはどんな変化を見ておられるだろうかということなんです。

　信田さんは、カウンセリングセンターを開かれて何年になりますか。

信田　一九九五年からですから、七年目に入りました。三十代の話にいく前に、わたしが今の上野さんの話で最も興味深かったのが、十代や二十代前半の娘を持つ母親についてですね。この人たちが今の話のとおり、半狂乱になってセンターへやってきます。

三十代は女の岐(わか)れ道?——『データブック NHK日本人の性行動・性意識』を読む

上野千鶴子

世代的な断絶——図①

これまで結婚はセックスのライセンスと考えられてきた。だからこそ、結婚と同時にセックスの開始を告げる「初夜」などという言葉も生きていた。

図①の問いは、結婚とセックスの分離を示す性革命の指標のひとつ。三十代で「かまわない」が急増。四十代の約二倍となり、「かまわない」と「どちらかといえばかまわない」を合計すると三十代以下はすべて八割を超え、三十代以下と四十代以上に大きな世代的な断絶があることがわかる。

若いほど非寛容——図②

婚前のセックスに寛容な三十代以下は、婚外のセックスには非寛容の傾向を示す。おもしろいのは「してみたい」も「したくない」も年齢が下がるとともに上昇すること。「したくない」ほうが圧倒的に多いが、若いほど非寛容であることがわかる。結婚まではセックスをともなうフ

図① Q未婚の女性がセックスをする

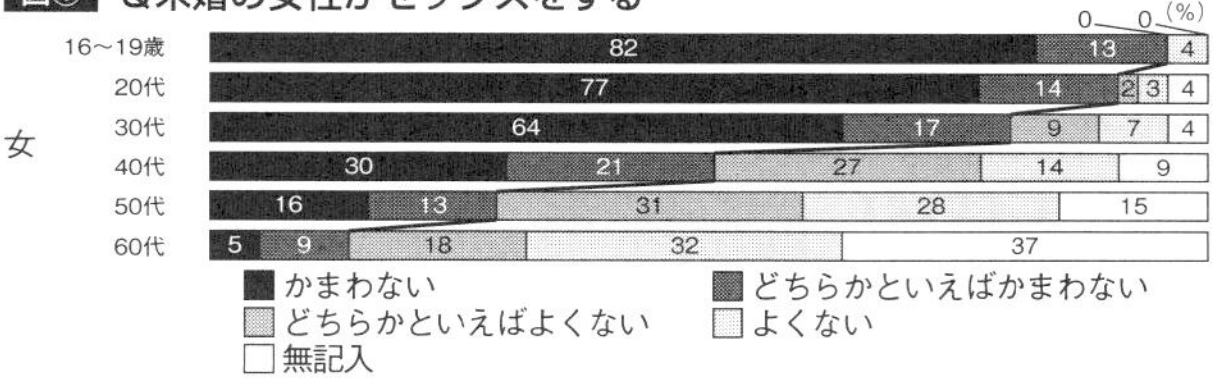

図② Q結婚してから、夫または妻以外とセックスをする

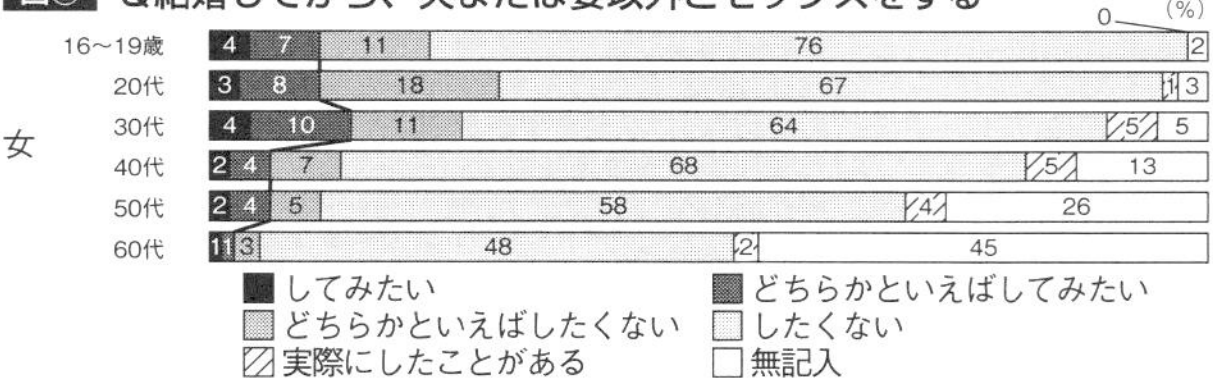

図③ Q18歳になる前にセックスをする

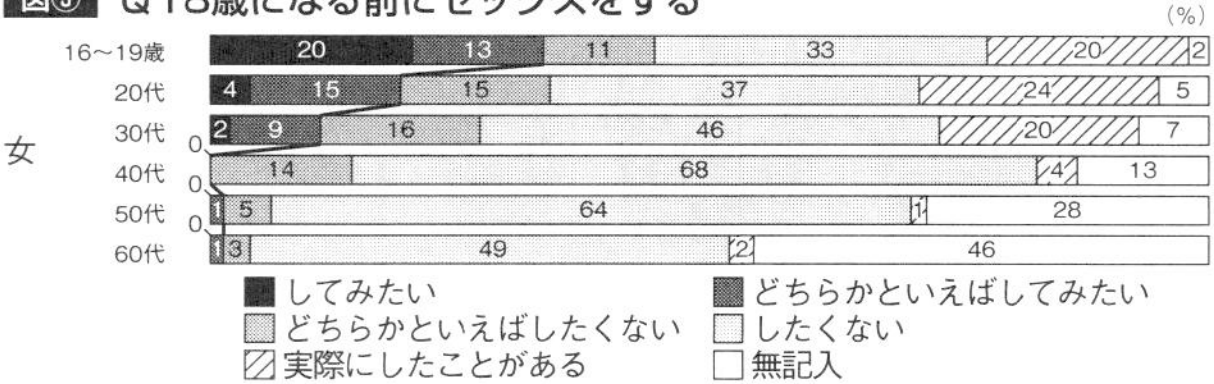

《出所》
●NHK「日本人の性」プロジェクト編『データブック　NHK日本人の性行動・性意識』NHK出版、2002年
《調査の概要》
●**調査期間**　1999年11月25日〜12月12日／●**調査方法**　調査票自記式調査員面前記入密封回収法／●**調査対象**　全国16〜69歳の国民300地点合計3600人／●**サンプリング方法**　住民基本台帳による層化二段階無作為抽出法／●**有効回答数**　2103人／●**回収率**　58.4%
●**構成**　性別　男：女＝50.1：49.9%
年齢　10代：20代：30代：40代：50代：60代
＝6.6：20.4：17.8：19.3：20.0：15.9%

リーな恋愛を、結婚後は互いに貞節を、というロマンチックラブイデオロギーが若い世代ほど強いことがわかる。

ところが「実際にしたことがある」という体験を尋ねるとおもしろい結果が出る。婚外セックスの経験率は①既婚率が高いほど、②年齢が高いほど、経験の蓄積率が高くなるのは当然だが、三十代で経験率五パーセント、「してみたい」と「どちらかといえばしてみたい」の潜在願望を考慮すると、この世代が四十代、五十代に達したときの実際の経験率は、現在の四十代、五十代を上回るだろうと予測できる。意識のうえではロマンチックラブイデオロギーをのぞみながら、実際にはそれに反する行動をとる三十代がうかびあがる。

どっちつかずの三十代――図③

性の低年齢化を反映して、若い世代は肯定する答えが多い。「してみたい」「どちらかといえばしてみたい」は、二十代、十代で急速に増加し、三十代はその中間のどっちつかずの世代だということがわかる。いっぽう「実際にしたことがある」の項目を見ると、十代は「してみたい」が二〇パーセントで「したことがある」が二〇パーセント、いわば言行一致だが、三十代は「してみたい」二パーセント、「どちらかといえばしてみたい」

九パーセントの合計が一一パーセントなのに対し、「実際にしたことがある」が二〇パーセント、つまり「してみたい」とは思わないが不本意にセックスを経験した人々がいることがわかる。

意識と行動のずれはこの世代で顕著であり、それ以上の世代の経験率とくらべても断絶が大きい。

「股裂き状態」の三十代――まとめ

全体的に見て、性意識と性行動の世代的な変化を見ると、三十代は分岐点、それ以上とそれ以下では、それぞれ意識と行動が、逆方向を向きながらも、一致しているが、この世代だけは、意識と行動のずれが大きく、過渡期の世代の特徴を示している。つまりアタマのなかでは旧世代の規範に影響を受けながら、実際の性行動は変化してしまっているとか、もしくは性意識が変化しているのに、行動が追いつかない、といった「股裂き状態」を経験していると考えられる。

世代的に言えば、三十代を分岐として四十代以上と二十代以下とでは性意識、性行動ともに大きな世代的な断絶があり、もし現在の十代、二十代の親世代がそれぞれ四十代、五十代だとしたら、性についての親子の間の世代間ギャップが大きいことが推測できよう。

上野　そうでしょうね。彼女たちにとって十代の娘は、理解できないほど異人種だと思う。でも、若い子たちのほうは、もはや規範と行動が股裂き状態ではなくなっているので、その子たちにはあまり矛盾がないんです。その子たち自身は世代間ギャップを自分たちの問題だとは感じておらず、子どもとのギャップを受け入れられずに問題行動だと感じているのは親世代のほうですよね。

信田　そうです。それに関係するような事件がありました。練馬区で、母親が中学三年生の不登校の娘を家庭内暴力に耐えかねて殺して、その遺体を大型冷蔵庫に入れていたという事件（二〇〇二年七月）。その事件を知ったときに、わたしたちのところに半狂乱になってカウンセリングを受けにやってくる親と、ほんとに紙一重だと思いました。娘を殺したその母親も、実は家庭内暴力が原因で殺したのではないと思います。娘が不登校の末に、夜な夜な遊びに行くようになったのが原因ですよ。

新たな居場所を求めて夜の街を徘徊（はいかい）するということは、サバイバルを求めての行動だと思います。けれども母親とすれば、それが許せなかったわけでしょう。それで、これはわたしの想像ですが、それを阻止しようとしてやったんではないでしょうか。娘は化粧をして夜の街に出かけようとし、それを止めると暴力をふるう。そこで母親は、娘が二度と出ていかないようにと、彼女が昼寝をしている間に手足を縛ってしまったのではないでしょうか。娘のほうは、夕方になって目がさめて、出かけようと思ったら手足を縛られている。「何をするんだ」って言って、さんざん暴れたんでしょう。母親は娘の自由がきかないのをいいことに、思わず首をしめて殺してしまった。

上野　その母親は、何歳ですか。

信田　四十九歳でしたね。これに類した相談は多いんです。それもみんな母親から。わたしから見ると「何が問題なの」と思うのですが、母親は「不登校でやっと学校に行くようになったかと思えば、その分遊びまくって無断外泊することもある」と、もう半狂乱です。

上野　半狂乱になるのは、何が原因なんでしょうか。

信田　さっきの「規範」です。自らの「これが当たり前だ」という規範を、彼女なりにできるだけ緩めて考えたとしても、娘の行動は許せないんです。

十代の子を持つ親のセクシュアリティ

上野　ふたたびさきほどのマクロデータを例に挙げると、四十代以上は性規範と性行動が比較的一致している。信田さんやわたしは例外かもしれませんが、とくにわたしたちの世代の五十代は、結局のところ、処女のままお見合いや恋愛で結婚して、夫しか知らない女性は多いです。主婦の投稿雑誌、「わいふ」の読者アンケートで、四十代以上の既婚女性の婚外性経験率が約六人に一人（グループわいふ『性　妻たちのメッセージ』径書房、一九八四年）。その調査が一九八三年だから、今の六十代ですね。

信田　上野さんの言う、一穴主義？

上野　それを言うなら、一本主義でしょう。ですが、主義というのは選択だから、違います。選択じゃなくて、慣習に従ってきたらそうなってしまったということです。しかもその夫も世慣れず、女に対する配慮もテクもないから、自分勝手な独(ひと)りよがりのセックスをする。性的満足を得られずに過ごしている女はいっぱいいます。わたしの世代は森瑤子(もりようこ)のフリン小説や、「金妻(きんつま)*」の世代ですが、実際に行動していれば、だれもあんなものを読んだり見たりしないでしょう。

何て言うか、欲望の水圧が高まっている、これは確かなんですよね。だけど実際にそれを実行に移しているとは言えない。四十代以上は、そういう保守的な層なんです。それが三十代を一つの分水嶺(ぶんすいれい)として、非常に急速に次の世代に転換が起きているものだから、セクシュアリティを婚姻の中に封じこめてきた母親世代が、自分の生き方を娘に全否定されてしまう気分を味わう、ということになるんでしょうか。

信田　そんなに簡単なことでもないと思うんですよね。

上野　こう言うんだよね、この人は。わたしがこういうふうに言うと（笑）。

信田　それはある意味で、割り切りとしてはすっきりしますが、むしろ、そこまで高級な自覚はなくて、単純だと思うんですよ。単純に「普通じゃない」ことに対する許せなさだと思う。「この子はこのままだと普通ではなくなるんじゃないか」という恐怖ではないでしょうか。

上野　でもそれは、「自分がこんなに懸命に『普通』を守ってきたのに」という意識と裏腹ではないですか。

信田　もちろんそうですが、だからといって自分が否定されているというところまで意識はいってないんですよ。自分が否定されているという意識、そういう当事者性があればいいんだけど、彼女たちはもう実に短絡的に常識と婚姻していますので。

上野　たしかに、何も考えずにそういうものだと思って結婚し、子どもを産んできた。だから選択以前なんです。選択した記憶もないんでしょう。

信田　それなのに、よりによって自分がおなかを痛めて産んだ娘が、そこから外れる行動をしていることに驚愕（きょうがく）するんです。だから、ほんと、単純なショックだと思います。

上野　もう一つそこにあるのは、子どもの人生を支配したいという支配的な母性ですね。

信田　それは、わたしたちから見るとそうなんですが、彼女たちにしてみると、そこまでの意識もない。それ以前の問題ではないでしょうか。

上野　外に出歩く娘を縛ったという事件だけど、母親は「殺してしまうとは予期しなかった」と言うと思うけど。

信田　予期しなかったと思う？

上野　縛ったというのは、自分を守るエゴイズムなのか、それとも、「この子のために」という母性の名において……。

信田　それは「この子のために」でしょうね。

＊「金妻」　一九八三年に大ヒットしたテレビドラマ「金曜日の妻たちへ」。不倫ドラマの草分け。

上野　……と言い募るでしょうか。

信田　言い募ると思います。

上野　裁判でもそう主張するでしょうか。

信田　ええ、たぶん。取り調べでも、娘の家庭内暴力に耐えかねていたということを彼女は前面に出している。ということは、被害者意識がすごく旺盛だと思います。

上野　そのとき、「自分を守るために」と言うのなら、それは一つの立派な選択です。「わたしは家庭内暴力に耐えかねていた」とか、あるいは「子どものその逸脱をわたしは許せない」となれば……。

信田　家庭内暴力だから縛ったんじゃないんです。家庭内暴力には耐えかねていたでしょうけど、でも、「この子を外に出さないということがこの子のためになる」というふうに、たぶん、彼女は最後にそうすり替えを行っている。

上野　そのとき、「わたしを守るためだ」というふうに母親が言えれば、そこでは、はっきりとした母子分離が起きている。当事者性というものがあることになりますね。

信田　それは全然ないと思う。わたしはその当事者性の希薄さが顕著に表れる例が婚姻だと思うんですね。常識とか、普通とかにやすやすと乗っかって、あるいはそれらと手を結んで全身を染め上げていく。そんな生き方ですから、自分の子どもが規範を打ち破ることで自分は傷ついたんだというような意識は、母親の側にはないと思うんです。

上野　うーん、やっぱり母親自身が「わたし」になっていないんですね。けれども裁判では、世間の同情は彼女に集まるでしょう。

信田　「わたし」を持ってない人ほど世間は同情しますから。

それにしても暗澹（あんたん）たる女の事件ですよね。カウンセリングに来る人の中にも同じような母親がいます。殺しこそしませんが、携帯電話から手帳から全部を盗み見て、娘の全行動を追跡する。待ち構えて尾行するという親もいます。あるいは娘の交際相手の男にこっそり電話をして、「うちの娘と手を切ってくれ」と言う。そういうことまでしてとにかく娘を普通の生活に戻そうとする。そのエネルギーはすごいですね。そこに「わたし」というものはありません。

上野　こういうことを言うと問題発言になってしまうかもしれませんが、たとえば、ひきこもり状態から抜け出す契機に、「性の呼び声」というものがありますね。十代の男の子が夜な夜な街を歩いて、だれかの跡をつけまわせば、たんなるストーカーにしかなりません。ところが女の子は、夜な夜な出歩けば、男が勝手に寄ってきてくれる。それが、家庭にも学校にも、どこにも属さない女の子にとって、居場所探しの絶好のチャンスとなるわけです。ですから、その「性の呼び声」で、自分の娘が家から出ていってくれるということを、チャンスだと思う親は、……おらんやろな（笑）。

信田　むしろ、「どうしましょう、うちの娘、こんなふしだらな……」と。いまだに、「ふしだら」って言葉を使います。

上野　四十代女が？

信田　四十代も五十代も。その言葉を聞いたとき、わたしは思わず、「ふしだらって死語じゃないんですか」と言ったんですけどね。
上野　ということは、その方は「わたくしはこのようなふしだらは一度もやってまいりませんでした」と。
信田　それは当然の前提です。

四十代で高まる欲望の水圧

上野　ポスト金妻世代の四十代女性では、状況が徐々に変化して、欲望の水圧が高まっている感じがします。同世代の女たちの間で、ざわざわとノイズが起きている。メディアでは、罪の意識なしに不倫する女が登場したり、セックスは快楽だからテクのない男はだめだ、みたいなメッセージをいっぱい発信している。これに対して、六十代以上の女性になると、たとえ快楽がなくても「こんなもんだ」で一生終わります。

「こんなもんだ」について言えば、社会学には、「相対的剝奪（はくだつ）」という概念があります。リラティブ・デプリベーション（relative deprivation）です。つまり、みじめさに「絶対」はないということです。何かと比べて初めてみじめだと思うわけで、比べる対象がなければみじめも貧しさもない。みんなが貧しけりゃ、貧しさはないんです。それが六十代まで。

ところが四十代、五十代になると、周りでそうでないモデルがじわじわと出てきて、

「その気になればわたしだってできたかも」みたいなことになる。でも実行には移しません。そのためのペナルティとコストが高くつきすぎますから。欲望の水圧は高まりますが、それでも社会的慣習を守っている。

信田　それは何の欲望なんでしょうか。

上野　欲望といっても、性的欲望とは限りません。どのような欲望も社会によって作られ、かつ、煽（あお）られるものですから。

信田　今のままのわたしでいる必要がない、つまり今のままのわたしでいなくてもいいのだ、みたいなところから出てくる欲望ですか。

上野　ええ。しかも、それを実行に移して、必ずしも制裁されない人々のモデルが出てきましたからね。

おそらく女性週刊誌メディアは、規範の侵犯に対する制裁のメカニズム、要するに大衆のガス抜き装置として働いてきたんだと思います。だからこそ負のヒーローに対して過剰なバッシングがあるんです。たとえば、四十代前半というと松田聖子（まつだせいこ）でしょうか。山口百恵（やまぐちももえ）が良妻賢母だとすれば、松田聖子はルール違反をやって平然と生き延びたモデルですよね。

信田　そんなふうに言えるかなあ、松田聖子が？　あの人は結婚というものを利用して、したたかっていう感じがします。ルール違反という感じはあまりしませんが。

上野　じゃあ、このへんでやめましょう。わたしは小倉千加子（おぐらちかこ）さんと違って芸能ネタに弱いから（笑）。

ノイズが増えて、慣習に従って生きてきた人たちの欲望の水圧が高まり、その反動としての攻撃性の表れとは考えられないでしょうか。

信田　練馬の母親の事件がそうだと？

上野　はい。

信田　それはあるかもしれません。だからこそ過激に狂乱する、あるいは殺してしまうということになるのかもしれない。

上野　援助交際について、いろいろな人がいろいろなことを書いていますが、その中でわたしが感心したのは速水由紀子（はやみゆきこ）さんの文章（速水由紀子「消費社会における少女たちのセクシュアリティ」河合隼雄（かわいはやお）・上野千鶴子共編『現代日本文化論8　欲望と消費』岩波書店、一九九七年）です。彼女は、援助交際は母子二代のツケだと言っています。援交のギャルは、隠され、抑圧された母親の欲望を自ら体現してみせているんだって。もちろん母親への反抗としてですよ。

信田　そう言えばそうかもしれないけど、たぶん彼女たちの言葉で言えば、「あんなダサい生き方はヤだよー」「何がおもしろくて主婦やってんだよー」という感じではないでしょうか。

上野　娘の世代からすると、母親は欲望を封印したという感じがあるんでしょうね。

信田　うーん、「欲望」って言葉はピンときませんね。もちろん上野さんの説明で、「社会的に構築されたものとしての欲望」ということはわかるんだけど、なんかピンとこない。何なんだろうか。

上野　それは、おいおい考えていきましょう。

三十代をめぐる「相対的剝奪」

信田　三十代女性が分岐ということですが、その親というと、六十代ですね。

上野　そうです。そういえば、山田昌弘さんたちがパラサイトシングル*の調査を行ったのが一九九〇年代半ば（宮本みち子・山田昌弘・岩上真珠『未婚化社会の親子関係』有斐閣、一九九七年）のことでした。そのとき彼らが対象としたのが二十五歳から三十五歳の年齢層のシングルでした。つまり、今の三十代が非婚少子化の先導世代ですが、その親世代は子のパラサイトが可能なインフラの余力を持っていることになります。六十代の親は不況とリストラが深刻化する前に定年を迎え、退職金をもらった世代です。高度成長の利得を満額回答で享受した最初で最後の世代というわけです。次の世代にそのギャランティはありません。この人たちがそれだけ太いすねを持っているから、パラサイトが可能なんです。

三十代の結婚についていうと、現在（二〇〇二年九月）、平均初婚年齢は二十七歳。三

＊**パラサイトシングル**　成人になっても親と同居し、生活費や家事を親に依存している独身者（シングル）のこと。「パラサイト」は「寄生する」という意味。社会学者の山田昌弘の命名。

十歳になったときの女性のシングル率は二五パーセントぐらいなんですが、首都圏では、三十代半ばでも約三割をキープしています。四十代になるとこれが一〇パーセント以下に落ちます。また、三十代では離婚率が高まっているので、シングルアゲインも増えています。離婚件数が最も高いのは、結婚後一年以内。腐ったリンゴは最後までかじらなくてもわかる、ということでしょう。

離婚率は結婚後三年でいったん減少しますが、また第二のピークがきます。三十代離婚の一つの特徴は、子どもの有無や、子どもが低年齢であることが離婚の抑止力にならなくなってきたということでしょうね。

信田　小さな子どもがいてもかまわず離婚するってことね。

上野　三十代ではだいたい一対一の割合で「結婚の中にいる女」と「結婚の外にいる女」がいます。この世代はポスト均等法世代ですから、勤続年数は長期化しています。就職するときはバブリーな時代で楽だったが、そのあと不況に入ったせいで辞めたらどんどこしょ。あとがないことを実感しているので、たとえつまらなくても仕事にしがみつく。ですから、勤続年数も長く、そこそこの収入とそこそこのポストがあり、中間管理職ぐらいにはなっているんです。

相対的剥奪理論から言うと、結婚した女たちは、最初は先に上がったんですよね。結婚は女の「上がり」ですから、「ざまあ見ろ」だったんですが、三十五歳ぐらいになると、就労継続してきた女と、子持ち女である自分との間に、時間資源と貨幣資源で差がついていることに気がつく。勤続十年以上になると、一般職ＯＬでも年収五百万円は超すでしょう。ですから、そんじょそこらの妻子を抱えたシングルインカム世帯のオヤジより、可処分所得の面ではリッチなんです。

あるとき、厚生労働省の三十代の男性官僚と話をしていて気づいたのですが、この三十代はいわゆるポスト均等法世代で、初めて女が、結婚する自由としない自由という選択の自由を持った世代なんですね。ところが、結婚する自由を行使したはずの女たちが、あるとき、仕事を続ける同期の女たちを準拠集団として自分と比較して愕然とする。自分はただの夫の影にすぎないと。夫を外せば自分は何者でもないと。ナントカさんの妻、ナントカちゃんのお母さんでしかない。ところが、同窓のあの人は自分の名前で勝負をしている。これは高学歴であればあるほどそういう気分が強まります。

そういう話をしたとき、その厚労省の若手の官僚が、「今日、上野さんの話を聞いて、初めてうちの女房のきつさがわかりました」って言ったんです。

信田　上野さんに言われるまでわからなかったんでしょうか。

上野　女ってのはそんなもんだ、結婚てのはそんなもんだと思ってやってきたんでしょう。そういう状況を相対的剥奪と言うんですが、主婦であることのきつさが以前より強まっている感じがします。周囲がすべて主婦なら、比べる相手がいなくていいんですけどね。たとえば昔だったら、奈良女（奈良女子大学）とかお茶大（お茶の水女子大学）を出て、結婚もしないで働き続けて女性校長になったとしたら、「卒業面」とか言われ、

「結婚できなかったかわいそうな人」という蔑視の対象となったわけですが、今では、そうは言えなくなりました。

信田　ということは、さまざまな局面で相対的剝奪が起きているということですね。

上野　そうです。

信田　なるほど、大変だね。選ぶも地獄か。

シングル女を有利にした「なし崩し性解放」

上野　わたしもシングル女ですけどね、主婦の相対的剝奪感の要因に、シングル女を取り巻く状況が非常に有利になったということが挙げられると思います。まずその一つは、総合職など有利な就職のチャンスが増えて、女が一人でも生活できる可能性が高まったということ。そして、もう一つはですね、この間になし崩しの「性革命」が起きたということです。「なし崩し性解放」とも言います。具体的には、結婚とセックスの結びつきが崩れたということ。タテマエ上にしろ、ほんのひと昔前は、女にとっては結婚の外にいればセックスはなく、結婚の中にいればセックスがある、このどちらかでしたから。

セクハラでこんなパターンがあるんですよ。ハイミスの女を男が猥談の席に入れて、性的なジョークを言って反応を見る。で、まったく何も気がつかなければ無知を笑いものにし、顔を赤らめれば「独身のくせにどうして知っているんだ」と言って、それはそれでからかいの対象にして、ダブルバインド状況に置く。ところが今、シングルの女の子が猥談にガハハと笑っても、制裁を受けることはなくなりました。

このように、結婚とセックスの結びつきが急速に崩れてきました。これがシングル女をラクにしているんです。かつて、結婚していない女は「男に選ばれなかったかわいそうな女」であり、結婚した女は、圧倒的かつ絶対的に有利な地位に立っていたわけですね。ところが今、シングルであることは、セックスを得られないということを意味しないんです。

信田　いつからそうなったんでしょう。

上野　一九七〇年代からです。全世界的に性革命が進行した時代です。

信田　ロマンチックラブイデオロギーの崩壊ですね。

上野　そのとおりです。愛と性と結婚の三位一体（さんみいったい）の崩壊です。

信田　性と結婚の結びつきが崩れれば、愛なんて崩れますもんね。

上野　はい。これが分解してきたんですね。それがシングル女に有利に働いています。

親世代、六十代の性革命

信田　三十代女性が分岐とすると、その親の世代である六十代以上の女性について言うと、性的な問題、俗に言えば色恋沙汰（いろこいざた）が多くなっているそうなんです。

わたしの知人が夫を亡くして泣き暮らしていたんですが、半年目に「お義母（かあ）さま、社交ダンスなぞいらっしゃったら」とお嫁さんに勧められて、地方自治体の公民館に行ったところ、みんなそれを求めて来ているそうなんです。なかにはお酒を飲んでいる男もいて、「ぼくが教えてあげよう」と言って、新しい人と見るとアプローチをする。一種の社交場になってしまっているそうです。

上野　マクロデータを見てわたしがおもしろいと思うのは、世代差は歴然としているんですが、性規範は、物心ついたときに刷りこまれれば一生固定するかというと、そうはならないことです。時代と世代はそれぞれともに歩んでいきますから、異世代の人間が同時代を生きる。つまり、この急速な性規範の緩みという時代を六十代の人は六十代で生き、三十代の人は三十代で生きる。いったん刷りこまれた性規範もその世代ごとに時代の変動の中で動いていくわけですね。

六十代の人も六十代なりに性革命を経験していらっしゃるわけで、結婚の中に性を封じこめておかなくてはならないという規範の解体を、ご自身で味わっていることでしょう。

京都に「無限の会」という老婚あっせんの集まりがあるんですが、そこへ取材に行ったことがあります。

信田　ああ、チャンスが無限なんですね。

上野　会員資格は四十歳以上。わたしは四十歳になりたてのころでしたから、お集まりの中でも最年少ぐらい。参会者の男の目が、完全に値踏みをする目でした。再婚とか老婚の方たちは、会った日の帰りにホテルに誘うそうです。

信田　男が誘う？

上野　どっちかわかりませんが、手続きが簡略で手間がかからない。会えば即、「君だって知らないわけじゃなし」って。即断即決、即行なんだそうです。だからテマヒマかけて、会って三回目にお食事をして、その次に手をつないでというふうにはならないとお聞きしました。

否定される「性豪」

信田　相対的剝奪は、男にもありますか。

上野　あると思います。男の相対的剝奪感も変化してきているようで、よく表れているのが買春男に対する見方ですね。かつて買春は性豪の指標だった。ですから、よそで女を買ってきたということを豪語できた。ところが、性の市場が自由化してくると、女が自由意思で性に合意するようになる。そうすると、金を出さなきゃ買えないということは、性の自由市場における敗者の刻印になってしまうんです。だからこそ、性的弱者論と買春論が結びつくようになってきたんです。

かつては、男の地位は非常に単純で、性的な力と経済力とが結びついていましたから、金があればいくらでも女が買えた。けれども、現在は金を使わずに女が落とせるかどうかが男の勝負どころになりました。

それは女の変貌に原因がありますね。以前は、金を使わずに女を落としたとたん、「一線を越えたから、わたしの一生に、あなたが責任を取って」ということになったわけでしょ。ところが、今、そんなことを言う女はいなくなりましたから。

信田　二十代の男の子なんて、女の子にお金を出してもらうのはステータスですからね。だから、性別役割分業なんて言わないで、「ボクが家事やるから、いっぱい稼いできて！」なんて男のほうが言うカップルもいるでしょう。

上野　まあ、ないとは言わんが、それは極端なケース。そう簡単には男らしさは壊れてませんん。

信田　わたしのところには、そういう人が多く来ますけどね。

上野　おたくはね。病理的な人がいらっしゃるからでしょ。

信田　たとえば奥さんはＳＭ嬢で、夫は日払いのアルバイトをしているんだけど、彼は部屋代を絶対に出さない、出せない。だから彼女が全部払って、そのかわり食事のしたくなどは彼がやるというカップルがいましたね。

上野　それでおもしろいのは、ピンプって、昔はヒモでしょ？　女房に売春させるのがヒモで、昔のヒモは、女に貢がせた金で遊んで歩いていたわけですよ。家事なんかしない。今はね、ヒモだけをやっているわけにはいかず、ちゃんと家事をやってサポートしないといけない。この違いは大きいですね。

女であることの存在証明

信田　それにしても三十代は、わたしのセンターにはあまり来ません。

上野　三十代の既婚者は来ないの？

信田　既婚者は来ます。非婚者はあまり来ない。

上野　相対的剥奪感を持っているのは既婚者のほうだからでしょう。結婚が「上がり」ではなくなったから。

信田　三十代既婚者の場合は、結婚はしたものの、「この結婚でいいんだろうか」「こんなひどい男でいいんだろうか」、つまり「別れようかどうしようか」という相談が多いのね。

上野　そういうことをどうして自分で決断できないの？

信田　できないから来るんですよ。上野さんは、決断できるのが当たり前という前提での発言でしょ？

上野　だって、夫がダメ男だということはご自分でわかっているわけでしょ？

信田　それで決断できたら、世の中はイージーですよ。

上野　それにはもう一つ、シングル女の泣きどころがあるからでしょうね。つまり、未婚者、それに非婚者とかシングルアゲインなど、結婚の外にいる女と既婚者との決定的な違いというのは、「少なくとも一人の男に選ばれた女」ということが既婚者の勲章としてあることです。相対的剥奪感の裏返しですが、これが女であることの存在証明なんですよ。

既婚の女は、その存在証明の勲章を社会的に公然と提示できる。だからこそ、どんなにつまらない結婚でも、既婚の女は結婚から降りようとしない。ところが、仮に男がいても、シングル女や愛人にはそれができないわけですよ。「男に選ばれたわたし」という存在証明を確保したいというジェンダーの病の刷りこみがシングル女にもあって、「どんな男からもわたしは選ばれていない」ということを肯定することができないのだと思います。

信田　それは単に孤独だということではない？

上野　違う、違う。

信田　ＤＶ（ドメスティック・バイオレンス）の被害者の女性が夫のもとを離れないのも、そういうことじゃないですか。

上野　それは、信田さんご自身が『家族収容所』（講談社、二〇〇三年）で非常に明快におっしゃってますね。

信田　男と結ばれることで自分の存在証明を得た。ですからその男から離れて一人になるということは、存在証明を失うことであり、足元が崩れることですよね。

上野　そういう意味では結婚という制度は、女が社会に参入する道なんです。それが正規のルートだから、そのルートから外れることは、自分が社会的な存在でなくなるのと同じことでしょう。たんに職業人であるだけでは、女としての存在証明にならないんですよ。

信田　それを心理学では、「依存」とか「自我の未確立」などという言葉で言い表すでしょ。でも、そうじゃないんですよ。

上野　これはジェンダーの病ですよ。だから「男に選ばれなくても、わたしはわたし」という一言が、女にはなかなか言えないんです。

母親が娘を股裂きに

信田　六十代の女性に対して、わたしがいつも不思議に思うことがあって、それは、自分は仕事をしてないのに、娘には「仕事、仕事」とうるさく言うことなんです。

上野　やっぱり、経済力がなかったことを……。

信田　後悔してる？

上野　痛恨の思いがあるんじゃない？　樋口恵子（ひぐちけいこ）さんがその世代でしょ。戦後の男女共学の第一世代で、「学生時代には男と対等にやってきたのに」と初めて思った世代じゃないかしら。「成績だって夫より必ずしも悪くはなかったのに」と。

信田　だから娘はそこそこ成績がいいから仕事をしたほうがいい、仕事をしてがんばってほしいと思うんでしょうか。

上野　うん。ですから一九九〇年代以降の女性の高学歴化のスピードがものすごい。進学率がむちゃくちゃ高くなっているでしょ。十八歳以上の進学率は短大を入れたら、女の子が男の子を抜いてるのよ。それともう一つ、ブランド大学の女の子の浪人経験率がすごく高くなっている。この背後には、母親の娘に対する教育熱があります。

信田　娘を自分の人生の第二走者として走らせるわけ？　あの親たちは、娘に対してどんな将来像を持っているんでしょうか。

上野　ないと思う。自分になかったものを持ってほしいとは思っているのよ。けれどももう一方で、自分の人生を否定されることは許せない。だから、アンビバレンスな期待をそのまま娘に与えて、そのつど言を左右にするから、娘は股裂き状態になってしまう。「お母さんは結婚してほしいわけ？　それともキャリアで生きてほしいの。それとも結婚して子どもを産んでお母さんと同じように主婦になってほしいの」。で、ほんとはどっちもなのよ。

　アメリカで女性学が登場したときに、サクセスした女のアイデンティティ形成についての調査研究がけっこうありました。その中で、父親から期待を受けた長女や一人っ子が、サクセスウーマンの一つの共通点であることがわかった。だけど、その人たちの中にあるジレンマはね、「社会でどうふるまえばいいかは父が教えてくれた。でも、ベッドでどうふるまえばいいかまでは、教えてくれなかった」。そうすると、いざ男と二人になってベッドの中に入ってみれば、母はどうふるまったかを模倣（もほう）するしかない。その中で、ほとんどもう、人格の股裂き状態みたいな経験を味わう。

　今、母親が娘に送ってるメッセージというのは、股裂き状態（ダブル・バインド）のメッセージだと思う。「女であれ」というメッセージと、「女であるだけでは十分ではない」というメッセージと両方を送っているわけです。女であることを否定するのは、母親としてはやっぱり許せないいんじゃない？

信田　うーん、女であるって、どういうことなんだろう。

上野　さっき言ったことから言えば、男に選ばれる人生ってことでしょ。ただし、男に選ばれるときには、選ばれた男の値打ちが女の価値を決めるから、母親としては娘がつまらない男に選ばれてもらっちゃ困る。たとえば年下のフリーターとかは、だめなわけよ。

計算高いリアリスト

信田　今、選ばれる女って少なくないですか？　女の子が男の子を誘ったりするでしょ。

上野　選ぶ選ばれるは、女の子が能動的か受動的かとは関係ないです。「選ばれる」という言い方がまずければ、最低限ひとりの男は確保する、とか、一人の男に所属する、っていう社会的なあり方が、女のモデルですからね。わたしの知っている女子学生で、とくに短大生なんかは、「一緒に遊んで楽しい男は、とても親には紹介できないし、結婚するなら、ちゃんと親の満足するような男でなくっちゃ」と言うの。したたかにリアリストで合理主義者で、親からどのような恩恵と利益を引き出すか、そのためにはどうすればいいかをよく学んでいて、親との不和や葛藤（かっとう）を味わいたくないと思っている子どもたちです。

わたしはあの子たちと付き合っていると、ほんとに感心させられることが多い。親が満足する結婚相手を選ぶ。ただし、それだからといって、自分が遊んできた男との関係をやめない。結婚相手を選ぶということが、夫以外のすべての異性との関係をあきらめることにつながらない。結婚後もボーイフレンドはボーイフレンド。夫への性的な不満を、昔からのボーイフレンドに綿々と相談するなんてことをやってるんだから。

信田　それはかつて、男がやってたことですね。計算高いのは、今の二十代ですか？

上野　今の三十代もそうよ。親の意向を汲むという点では、この世代は、ある共通点を持っています。親子関係が非常に密で、親が大きな資源になっています。

戦後家族史を見てみると、親が貧しかった時代は、子どもの邪魔をしないことだけが、親から子どもへの大きな贈り物だったのよ。贈り物には「正の贈り物」と「負の贈り物」があって、子どもの邪魔になると負の贈り物になる。つまり「負の贈り物をしない」ということが、貧しい時代の親にとってはそれだけで十分大きな贈り物だったんだけど、今の親は巨大な資源を持っているから、親の資源にぶら下がって生きることのトクを、子どもたちもリアリズムでわかっているじゃない。彼らには、それを手放す気は毛頭ないもの。

信田　だから親の意向を汲むんだ。

上野　「結婚するなら親が満足する相手」という気持ちは、娘も息子もすごく強いわね。

そういう意味では、今、女の子のほうから積極的に選んでいるって言っても、遊び相手を選んでいるだけ。「今の彼では、とても親に紹介できない」とはっきり言うもの。いざ結婚するとなったら、新居の費用やマンションの頭金まで、場合によっては「マンションを買ってくれる」とか、そこまで親がやってくれると読んでいます。親の反対を受けたら、そんな援助はしてもらえないということもわかっているんです。

信田　今の三十代の女性たちって、やっぱり親の影がすごく大きいですね。

上野　うん。計算高い。わたし、今の三十代女の計算高さがほんとにイヤね。

総合職の娘は「女の顔をした息子」

信田　それから不思議なのは、自分は常識に染め上げられて結婚しているのに、独身で働いている三十代の娘に対して、結婚について何も言わない親がけっこういることです ね。自分たちが元気なうちは娘のパンツを全部洗って、朝ごはんを作って、このままずーっと亭主みたいにして働かせるつもりなのかなあって。

上野　だと思いますよ。総合職女が出てきたときに、わたしは「女の顔をした息子」と呼びました。女が総合職になる条件は、ブランド大学を出ることだし、ブランド大学を出た娘の背後には、母の影響力とサポートがある。信田さんの言う「一卵性母娘」じゃないけど、二人三脚で生きてきて、母が娘の「主婦」をして、「メシ、フロ、ネル」で総合職をやっているわけでしょ。母のほうでもそれを生きがいにしているから、娘を手放したくない。

信田　「日経WOMAN」の連載で人生相談をしたときに、そこに相談を持ちかける人のほとんどがそうだった。「三十代前半で結婚しようかなと思っているけど、ボーイフレンドはいない。仕事は辞めたいけど、辞めたら食べられない。掃除や洗濯など、日常生活のこまごましたことは親が全部やってくれる。だから、たまの休みには母と二人でグアムとかモルジブへ一週間ぐらい行って帰ってくる。それがいつものパターンですが、このままでいいんでしょうか」というような感じの人がたくさんいます。

上野　とりあえず母親は、近視眼的に自分の満足だけを考えていればいいんでしょうね。いずれ娘が介護要員になってくれれば、自分たちの老後も安心だと思ってる。娘の結婚も望まず、孫もいらないと思えばそれでいい。娘のほうでは親に対する責任感を持っていて、年を取ってきた親の近くにはわたしがいてあげなくては、と思ってるわけ。そうなると、シングルのままで年を取るその娘たちの老後は、今度はどうなるんだろう。

信田　親はたぶん、そこまでは考えていない。

上野　だから、親のエゴイズムですよ。

信田　クライエントの女性と話をしていて、「親はいいかもしれないけど、あなたそれでどうするの？　失礼かもしれないけど、あなたがお年を召したらどうするんですか」と聞いたら、「うーん、そうですねえ」と言葉につまる。あまり考えていないんです。おまけに「親に対しては責任があるし、家を増築するときには、ローンの半分はわたしも負担する」って言うんですよ。

上野　経済力があるからね。

信田　「そうなると、二世帯同居になって、ますます離れられませんよ」って言うと、「いえ、わたしの部屋はあるけど、二世帯住宅というわけではないです」と言うから、余計に驚いた。完全に丸抱え。

上野　二世代ローンで家を建てて、親はそれで娘を抱えこんだと思って、満足していると思う。だけど、娘だって、これまでにさんざん親を食い物にしてきているんだから、どっちもどっちでしょう。

人生設計なしの娘、自分の老後しか考えない母親

信田　そうとも言えないと思う。親が食い物にされるのは産んだ見返りだからいいけど、娘のほうはどうなんだろうか。それは、やっぱりまずいでしょ。

上野　娘がそんなふうにぼんやりと過ごしていられるのは、いつ何が起きて自分の人生設計が変わるかわからない、と思っているからでしょう。人生のかりそめ意識が、ずーっと抜けてないのよね。それはキャリアの女でも同じです。結婚したら、相手しだいで自分の人生はどうにでも変わる、と思ってる。だからまじめに人生設計なんて考えられない。そういう幻想は、親も娘もどっちもどっちよ。

信田　そうすると、かりそめ意識の娘と自分の老後しか考えない親というのが、とりあ

えず共生していると。

上野　そう。見事に利害が一致していると思う。だから同情に価しない。

信田　ただ、なんかヘン。余計なおせっかいかもしれませんが、この人たち、男との関係はどうなっているのかな。

上野　もしそのことに本人が欠落感を抱いているとすれば、夜な夜な男を求めて街をさまよった東電OL*みたいな病的な形で現れるんじゃないでしょうか。彼女も母親と同居していたでしょう。でも本人がそのことに欠落感を抱いてないとすれば、女の存在証明に、もはや男に対する依存が必要でなくなったという証(あかし)。それはそれですばらしいことではないでしょうか（笑）。

信田　どうやって女としてのアイデンティティを持つんでしょうか。

上野　もういらないんじゃない？　そんなもの。

信田　わたしが上野さんに言うのもなんだけど、こんなに綿々と続いてきたものに対して、突然そういう反応をする世代が現れたという場合、エポックメーキングなこととして考えていいんですか。このボーッとした人たちの出現を。何かヘンだと思いませんか。

上野　わたしもヘンだと思いますよ。その結果として起きているのが、非婚化、少子化、つまり女が家族を作らない、子どもを産まないという現象だから、それは社会全体としては、ある種の病理的な現象だと思います。だけど、「わたしがわたしであるために、男に存在証明してもらわなくてもいい」と思う新しい世代が出てきたのであれば……。

信田　ほんとにそうなっているのかなあ。

上野　どうでしょう。

信田　重要なのはそこのところですね。やっぱりそこに自覚的な契機がない以上、わたしはちょっと信じられない。

上野　逆に言えば、これまで結婚して子どもを産んできた女たちにも、自覚的な契機なんてないでしょう。今シングルで生きている女たちにも自覚的な契機はなくて、ただ選択肢が増えた中で、目の前の利益を追求してきて、その結果そうなったならば、いいじゃないですか。自覚なしで既婚者になり、自覚なしでシングルになり、片方は子どもを産み、他方は産まない、後者がしだいに増えてきたというだけ。マクロの社会変動って、そういう時代の無意識が動かすものでしょう。

広がる女女格差

信田　男に依存することなくアイデンティティをつくれるというのは、経済力のある男親がいて、非常に暇で家事全般をやる女親がいて、本人にもある程度の収入をもたらす職業があるという条件が整って初めて生まれる状況ですよね。ということは、男性のア

＊**東電ＯＬ**　一九九七年、東京電力の調査室企画部副長の女性（当時三十九歳）が、東京・渋谷のラブホテル街にあるアパートの一室で殺害された。一流大学を卒業していたこと、大企業でキャリアを築く一方で夜になると街に立って何年にもわたって売春をしていたことがわかり、マスコミが「東電ＯＬ殺人事件」としてセンセーショナルに取り上げた。

イデンティティに組みこまれない女性が生まれるには、親の存在が必要だったということでしょうか。

上野　もちろんですよ。因果はめぐっています。でも、それも過渡期だと思うのはね、今、不況の影響がものすごいでしょ。こういうことができるのは、少なくとも、正規雇用を守っていられる人たちだけ。不況になってから、一般職ＯＬというコースが瓦解していった。それが、派遣やパートに変わりましたね。この派遣やパートの女性たちは、親の基盤がなくなったら、生きられない人たちです。この層がこれから大挙して登場してくると、どうなるかしら。パラサイトで、派遣、契約、フリーターの層ですね。男女ともこの人たちが今後、日本における貧困の最大の要因になると言われています。

彼らは短期雇用で、職業訓練や研修を受ける機会がないために、非熟練労働力として最下層で固定されたままになってしまいます。この人たちが、不満を抱かないでいられるのは、親のインフラがあるからなんです。それと年齢がまだ若いということで、自分に対してエクスキューズがあるから。既婚者の場合には、夫のインフラと妻の座というエクスキューズがあるでしょう。けれども、夫のインフラもなく、親のインフラもなく、エクスキューズもない人たちはどうなるんでしょう。

信田　ものすごく不平等を感じるでしょうね。

上野　そうでしょうね。他方では、仕事のできる華々しいキャリアの女が登場しています。これを「女女格差」と呼んだのが、ザ・アール社長の奥谷禮子さんですね。

不良債権化する「非正規雇用・非婚の三十代女」

上野　非正規雇用、非婚の三十代の女。彼女たちは、今はシングルを謳歌しているように見えますが、これにプラス十年して考えましょう。プラス十年しても、派遣の女は派遣のままです。しかも、この人たちが結婚する可能性は低い。ところが、既婚の女の場合は、夫の地位と収入がプラス十年で上がります。その一方で、子育て期を脱するので別な活躍の機会を持つようになる。相対的剝奪感という点から言うと、夫と子どもを持って「上がり」になった女の優位は、やっぱり、動かない。

そうすると、今の非正規雇用の非婚世代の、プラス十年後がいかなるものであろうかと、わたしは非常に不安を覚えております。まあ、わたしが不安に思う必要もないけど。

信田　その人たちはどう思っているんだろう、自分の十年後を。

上野　「キャリアアップ、就労継続、正規雇用」を確保している女たちは、今、都会でシングル女性向けのマンション需要の層になっていますね。マンション購入のためには、ローンを組む保証がないといけないので正規雇用が前提。非正規雇用の人たちはローンも組めない。彼女たちを支えているインフラは、親です。あとプラス十年で、本人は四十代になり、親は場合によっては要介護になる。

いずれこの人たちが、社会の中で不良債権化していくだろうと思います。場合によっては、この層が無保険者、無年金者になる可能性がある。「この人たちを層として抱えています。」と、わたしは最近、経済界の人たちを脅かしています。

信田　非正規雇用の女性たちは、やっぱり、駆けこみ結婚すると思うなあ。

上野　そう簡単にはいかないですよ。結婚はやっぱりプライドのゲームですから、ピア（同輩集団）の中で結婚年齢が遅れれば遅れるほど、夫に対する要求水準が高くなっていく。「あんなところで手を打ったか」とピアに言われることが一番屈辱になる。それは男も女も同じです。今、結婚相手をどうやって選ぶかというと、ピアに対する誇示効果が大きい。ピアの承認って、すごく意味が大きくなったと思います。

信田　それとちょっと関係あるかもしれませんが、結婚になだれこんだ人たちの育児状況がとても興味深い。今の二、三歳児の子どもを持っている親たちは、十年先を見越しています。自分が再就職するときに子どもが生活面で自立していないと自分たちの足を引っ張る。だから小さいうちからどんどん生活習慣を身につけさせて、早期の自立を目指す。手がかからない子どもにすることに狂奔し、「四十歳になったら一旗あげよう」と考えているわけです。

上野　データを見ると、子育て後のいわゆる社会復帰までの期間は、年々短縮の傾向にあります。「子どもの手が離れる」のはいつかというと、二十年ぐらい前までは中学生になったら、でした。その次が小学校高学年、その次が小学校低学年。それから小学校に入るまで、今は保育園や幼稚園に入ったら即。出産後、ほぼ三年に短縮されています。

一刻も早く社会復帰したい。不況の影響もあるんですけどね。「三十五歳までが勝負で、それを越したらもはや有利な就職はない」と、彼女たちは焦っている。

でも、生活的自立を子どもに強いるメソッドって、保育園や幼稚園のメソッドのまんまみたいじゃない。育児アウトソーシングで、教育の場で行われているスキルが、価値もノウハウもそのままで家庭に逆流してるという感じでしょう。

信田　そう、そう。幼稚園でやり残したことをうちでやる。

上野　家庭が、学校や幼稚園モデルで動いている。そうなったら、親という存在の意味はなくなるね。

信田　はあーっ、みんなが教育者になる。そしたら、家族でいる意味は何になる？

上野　ないです。

信田　ないねえ。いやあ、これはすごい。

上野　わたしが『サヨナラ、学校化社会』（太郎次郎社、二〇〇二年）で言ったのはそのこと。学校的価値が家庭に浸透して、親が教育者の眼で子どもを相対評価する。もうそうなったら、家庭に子どもの居場所はありませんよ。子どもにとっては、家庭も、学校と同じ「職場」になっちゃうもの。

第二章　「かけがえのなさ」の解体と純愛願望

「ブランド」という記号

信田　大阪で小学生を殺した宅間守（たくままもる）（二〇〇一年逮捕、当時三十七歳）、新潟の少女監禁事件の佐藤宣行（さとうのぶゆき）（二〇〇〇年逮捕、当時三十七歳）、そして園児殺しの音羽（おとわ）の母（山田みつ子、一九九九年逮捕、当時三十五歳）、彼らはみな同世代ですね。

上野　「新人類」と言われた世代ですよね。女でいうと「Ｈａｎａｋｏ」、それから「ポスト均等法世代」。それから、首都圏シングルという層を作り出した人々です。「仕事と結婚だけじゃイヤ」というのが「Ｈａｎａｋｏ」のキャッチコピーでしたが、強い消費者としての経済力、購買力を持った最初の女性世代ですね。バブル期の消費を牽引（けんいん）したのも彼女たちです。

　そういえば、この不況のさなかに表参道にルイ・ヴィトンでしたか、ブランド店がオープン（二〇〇二年九月一日）して、五百メートルの行列ができたそうですね。まだそんな時代が続いているのかと、びっくりしました。

信田　三日間徹夜で並んだ人もいたらしい。とにかく限定品があるんですね。

上野　こういう状況は、わたしには理解できない。

信田　あるモノを手に入れることが自分を差異化して、あるステータスに押し上げるということはわかります。それを持っていること、それをゲットすることに意味がある。

上野　これは、あまりにわかりやすすぎるブランド信仰でしょう。「すべてのブランドは等価値である」と言った『なんクリ』*の田中康夫(たなかやすお)さんが古く見えるくらい。あのころは、たとえばシップス（ＳＨＩＰＳ）などの、ちょっとマイナーなブランドの限定品を並んで手に入れるというのが一つのステータスだったんですが、グッチだ、ルイ・ヴィトンだって、あまりにわかりやすいじゃないですか。ひねりもないので、深読みのウエノには、かえって理解できない（笑）。

信田　もっと上の、わけのわからないブランドも依然としてあるんですよ。

上野　そういうところに列はできないでしょ。いくら限定品だって。

信田　ただね、原宿なんかでも、裏原宿にはいろいろあってですね、そういうところには、絶えず列を作っているブランドはあるんです。

上野　そういう列とルイ・ヴィトンの列は同種のものですか。

信田　違うと思う。

上野　そうでしょ。

＊『なんクリ』　昭和五十五年（一九八〇年）度文藝賞受賞作で百万部のベストセラーとなった『なんとなく、クリスタル』。ブティック、ブランドの名が数多く登場する作品で、クリスタル族（ブランドに詳しい若者）という流行語を生んだ。

信田　だからそれはブランドのある種の大衆化っていうのかな。わかりやすさがあって、それさえ持っていれば何も考えなくていいということでしょう。

上野　ブランド店に並ぶ人たちの映像をテレビで見ると、恥ずかしくて見てられない。「何だ、この女たちは」とか「この不況のニッポンで」とか思ってしまいます。日本は、ヨーロッパの世界ブランドの一番安直なマーケットでしょ？　わたしは一点も持っていません。

信田　わたし、実は今日のカバンもルイ・ヴィトンなんです。

上野　並んだの？

信田　並ばない。わたしはルイ・ヴィトンが好きなの。

上野　何で好きなの？

信田　うーん、安直、というか、頑丈。

上野　ほかにもあるよ、頑丈なもの。

信田　選ぶための時間が少なくてすむ。

上野　頑丈って言えば、京都に「一澤帆布（いちざわはんぷ）」というカバン屋があるけど、あそこのカバンは頑丈で有名ですよ。

信田　あれは……ちょっと。

上野　そうでしょ。そういう頑丈さじゃないでしょ。

信田　そうそうそう。でね、あとは、間違いないだろうという感じもあるよね。

上野　品質がよくて丈夫で、って理由を並べる人がいるけど、どれもたんなる口実。もっとハッキリ、値段の高さがだれにでもわかる舶来ブランドが好きなのよ、と言えばいいのに。わたしは、一点もルイ・ヴィトンやグッチを持たないのが誇りです。
信田　そんなにこだわらなくってもいいかなって、思いますけどね。
上野　ヨーロッパブランドの国際戦略の餌食(えじき)にならずにすんだということ。日本以外には、こんなに安直なマーケットはないでしょ。
信田　そうかもしれないけど、わたしのヴィトン好きには理由があるんです。実は最初にヴィトンを買ったのはパリです。国辱ものの日本人がワンサカいるところに行って買ったんです。それを大事にずっと持ってたんだけど、ある日盗まれてしまった。で、「ああ、わたしのたった一つのヴィトンが盗まれた」と思っていたら半年後に電話がかかってきました。三鷹(みたか)の川に落ちていたのを拾った人がいて、三鷹警察から電話があったんです。中の布なんかずいぶん汚れていましたが、もったいないので、きれいに洗って干したんです。そしたら、まったく変わらずに使えました。
上野　あ、きっと一澤帆布店のものも洗ったらその状態になると思うわ。それに盗まれないし（笑）。
信田　でも一澤帆布はね、パリに店がないし。
上野　じゃあ、パリが付加価値になってるんじゃない。
信田　もちろん。そりゃそうですよ。

上野　だから、ヨーロッパブランドの世界戦略ですよ。非常にわかりやすい。

信田　たしかにヨーロッパブランドの世界戦略かもしれないし、それに乗ったかもしれないけど、でもわたしはその頑丈さにすごく感動しました。

上野　それはあとからつけた理屈ね。信田さんともあろう人が、そんなことを言うなんて。

　わからないのは、たとえば日本がこれだけ不況だと言われているときに、若い女性たちがあれだけの購買力を持っていて、それをほとんど無意味なことに使ってること。あの行列は何歳ぐらいの人が並んでいるの？

信田　やっぱり二十代が多い。わたし高島屋(たかしまや)のヴィトンショップにもときどき行って、「新しいのないかなあ」って思って見るのね。するとね、おばさんのお客は一割しかいない。あとはみんな二十代前半。

上野　パラサイトっぽい？　あるいは二十代のキャリア？

信田　違う。

上野　派遣や契約とか？

信田　多くが茶髪で、彼と一緒で、「これ買ってえ」という感じよ。で、男の子が買うの。あとは、うーん、韓国、台湾の旅行客。

上野　ああ、わかりやすいねえ。文化植民地主義そのものじゃない。だから国辱もんだって、つい言いたくなるの。

信田　わたしたちのような年齢の客は、ほんとにいないですよ。何で若い子がこんなにお金を持ってるのよ、とは思う。風俗で働いている子も多いんじゃないかな。
上野　親にパラサイトしてるせいで、可処分所得が高いのかしら。
信田　パラサイトと言っても、パラサイトさせてる親がヴィトンのバッグを買ってくれるでしょうか。
上野　だから自分の金だってば。収入が低くても可処分所得が高いのよ。
信田　部屋代を払わなくていいから?
上野　うん。山田昌弘(やまだまさひろ)さんたちの未婚シングルを対象とした調査に、「毎月、生活費として家にどれだけ入れるか」という質問があって、平均二万から三万円。しかも大半の親はそれを家計に繰り入れずに子どもの名義で貯金してることがわかってる。こういうことは調べがついているのよ。

三十代シングルの自己愛的な消費行動

上野　三十代で可処分所得の高い層、つまりパラサイトシングルだと可処分所得が高いんですけどね、このシングルの消費が、ナルシスティックな方向に向かっているように感じます。ショッピング・アディクション(addiction　嗜癖(しへき)。おぼれること、俗に〝ハマる〟こと)でしょうか、消費の向かう先が、必ずしもモノではなくなって、エステとかダイエット、美容歯科とか、自分の身体への投資に向かっているのね。

信田　美容整形もアディクトしますね。

上野　それも、ン十万とか百万円ぐらいの単位で。それで自分に自信がつけばいいじゃない、とかね。差し迫った必要があるわけでもなく、だれかに求められたわけでもなく、自己満足のために自己投資をする。これがシングルの消費行動の中にありますね。

信田　整形依存はものすごく多い。あれ、止まらなくなるらしい。中村うさぎさんも今どんどんやっているでしょ。あの人、買い物依存がホスト依存になって、今度、整形依存。最近では、男の子でも気軽に美容整形をするようになりましたしね。

上野　あとやっぱり、美容歯科がすごい。一本何十万円の歯とかね。

信田　美容整形の医者は「やめたほうがいい」と言うらしいけど、それでも、「どうして止めるんですか」と言って、写真持ってきて「こんなふうにしてください」と言うらしい。摂食障害もそうですけど、やっぱり自分の身体を変えていくことにアディクトするのは、買い物とは違う一つの流れです。リストカットもそうですし。

上野　身体変形へのアディクションというのは、いったい何なんでしょう。「いきましょう、その次の身体へ」って感じですかね。

信田　わたしね、アディクトするのは痛みを伴うからだと思う。目がきれいになるとか、おっぱいが膨らむとか、そうなるためには痛みを伴うってことが、アディクトする大きい理由じゃないかと思うんです。

上野　エステ・アディクションもありますよ。エステは痛みを伴わない。

信田　うーん、どうかな。エステの場合は、前払いで四十万円なら四十万円払って契約したら、あとは転々とすることはあまりないでしょ。ところが整形となると、本当に歯止めがきかなくなるんですね。で、その一つの条件は、やっぱり痛みとか苦痛が伴うかどうかってことじゃないかと思うんです。セックスもそうだけど、苦痛を伴う満足感とか恍惚（こうこつ）感というような刺激が契機としてないと、そんなにアディクトしないいんじゃないかと思うんです。

上野　自分がこれだけのコストを支払ったという実感が痛み？

信田　それは経済的な痛みです。当然エステにもありますけど、整形にはお金だけではなく、身体の痛みも伴うでしょ。

上野　相当痛いんですかね。

信田　そりゃ痛いでしょう。とくに麻酔が切れたあとはね。ですから、「これだけの犠牲を払った」という気持ちになると思うんです。たしかにエステの場合にも、高額を支払ったということはあるかもしれないけど、エステ依存はあまり聞きません。それが証拠に、今、エステサロンはどんどんつぶれています。やっぱりあれは、バブルのあとの十年間の現象であって、今はもう、足の裏健康法とか、そのあたりの大衆化が進んでいます。

上野　街のリフレクソロジーですね。でもね、刺激というところから見るから「痛み」というキーワードが出てくるのであって、マーケットという面から見ると、「痛み」だけでは説明できないと思う。女向けのサービス産業がこれだけ広がった理由は何でしょうか。

信田 女の風俗でしょう。

上野 わたしは、これらをひっくるめて「グルーミング産業」と呼んでいます。癒し系のなでなで産業ね。

グルーミングなしでは生きていけない?

信田 それは女に特有なの?

上野 ええ。男向けのグルーミング産業はもとからありますから。

信田 風俗ってグルーミングじゃないですか?

上野 たしかに風俗にそういう部分はありますが、「女の風俗」と言ってしまうのは、どうでしょうか。風俗には性的なニュアンスがあるでしょう。わたしが「グルーミング産業」と言うのは、性という回路を必要としない、完全にナルシスティックな、自己愛的なものです。

けれども、ナルシズムには一つのネックがあります。ナルシスのパラドックスですが、自己愛というのは他者の承認なしには成り立たないということです。だからこそ、「だれも関心を払ってくれないわたし」が、お金を払って関心を買うのが、グルーミング産業。

信田　男の場合は、銀座のクラブとかになるんでしょうか。

上野　それだと、性的な要素があるから、古典的なタイプ。

信田　でも、バーに行ったりして「ママー」とか言って話を聞いてもらうというのはどうなんだろう。他者の承認ということかもしれない。癒しブームってそういうことでしょう。

上野　そうです。美容院で、前髪を眉毛(まゆげ)から五ミリ上のところで切るか、三ミリにするかで客が悩んでいたとしましょう。もしわたしが美容師だったら、「もううざったい、この客。三ミリだろうが五ミリだろうが変わんねーよ。そんなこと気にすんの、あんただけだよ」とか言いたくなるじゃないですか。でも、美容師はニッコリ笑いながら、「いや、お客様にはこちらのほうが」とか言いながらやっているわけですよ。はっきり言って、お金をもらうグルーミング産業じゃなきゃ、アホらしくてやってられないですよ。

信田　そういえば、カウンセリングもグルーミング産業ですね。

上野　あ、そうですね。自己が自己であるということの確証がとめどなく崩れていっているために、金を払って、自分とは直接関係のない第三者に自己であることの確証を供給してもらう、ということでしょう。

信田　そのような装置産業なくしては、わたしがわたしでいられない時代になってきているわけね。

上野　それがブランドとも関係があるのかなと。

信田　ああ。そうかも！　文化植民地主義というよりも、信田が信田になるにはヴィトンがいるのかな。

上野　そうそう。ヴィトンとヴィヴィアン・タム（ニューヨーク在住の中国系アメリカ人デザイナーのブランド）ね。

信田　なんか似てますね。

上野　いや、ヴィヴィアン・タムはマイナーリーグだから許す（笑）。

「簡単にひっかかる男」という侮蔑

上野　信田さんのカウンセリングセンターには、「整形したいんですけど」とか「そうすると人生が明るくなると思うんで」と相談に来る人はいませんか。

信田　ええ、いますよ。整形を繰り返して、合計三百万円くらい使った人もいましたね。まず目を整形して、その次に鼻をやったんです。そこまではよかったの。その次に頬（ほお）を削ろうとした。アイドルの写真を持っていって、「こんな頬になりたい」って言ったら、医者が反対したそうです。「無理だ、君の顔では。はっきり言って、僕はこれ以上、君にお金を使わせたくない」って。いい医者だと思うんですよ。でも、彼女はものすごく怒っていました。

上野　美容整形でもう一つわからないのは、それが完全な自己完結型のナルシズムならいいけども、「男にモテるようになりたい」という動機があって、それで人生が明るくなるっていうときに、外見が変わっただけで寄ってくる男たちに対する侮蔑はないのかしら。援助交際の女の子たちや水商売の女の中にあるのも、「この程度のことで簡単に引っかかる男」という、男に対する根深い侮蔑です。

信田　それはやっぱり、整形はパワーの奪回なんじゃないですか。

上野　だけど、きわめて安直なパワーゲーム。目に見える簡単なエサに寄ってくるということはつまり、裏返して言うと、自分は客体であり、記号に還元されている。で、男女関係というのは、その程度のものにすぎないということになる。わたしは、よく東大の男の子たちに対して、「あんたに寄ってくるんじゃないのよ。学歴に寄ってくるのよ。あんたの肩書に寄ってくるのよ。それでいいの？」と言うわけ。これまでの男は、それでいいんだと思ってきたかもしれないけれど、さすがに最近はそのことをシャイに感じる男がいないわけじゃない。

先日、渡辺淳一センセイのエッセイを目にしたら、たとえ女が金に寄ってきても、金も男の実力のうちなんだから、それでかまわない、と言っておられました。オヤジは永遠です（笑）。度しがたい生き物ですね。

女のほうは、整形したくらいで人生が簡単に明るくなるんでしょうか。

信田　なるかどうかじゃなくて、なるんじゃないかという希望です。

上野　それは幻想の期待ね。

信田　そうそう。で、もう一つは、同性に対する差異化ですね。あくまで関係的なものです。自分で鏡を見て「いいじゃない、わたし」と言うわけではありません。整形によって人の態度が明らかに変わったりしますし、自分が侮蔑する側に回るわけでしょう。それはパワーの獲得になります。コントロール可能な位置に、自分が上りつめるってことですよね。
上野　侮蔑しながらね。
信田　そう。
上野　そんなに安直な他人の変化が、単純にうれしいと思えるのか、というのがわたしの質問なんですけど。
信田　うれしいと思えるんです。狂喜乱舞ですもの。ほんとに表情が変わるんです。もちろんそれは、長くは続きませんけどね。

東大女と聖心女子大

上野　以前、東大の学生が、「現代の若者の身体観」という調査をしたことがあるんです。対象は東大の男女学生、それに対照サンプルに聖心女子大の学生を選びました。聖心の女の子の場合、自分の身体観を語るときに、コスメとファッションの話が必ず出てくる。でも、東大の女の子からは出てこない。あったとしても抑制されている。それと「わたしは見かけなんかで勝負しないわ」っていう言い方が出てくる。ところが、聖心の女の子は、あくまでコスメとファッションが中心で、「男の人って、しょせん外見にだまされる生き物でしょ」と言う。男に対する侮蔑が叩きこまれているわけですよ。その程度のちょろい生き物だって。

　その調査結果を見て、東大の女の子たちはおぞましいと言うんですよ。「わたしはそんなところで勝負しない」と言うわけです。「じゃあ、あなたは何で勝負するの？」と聞くと、学力とか業績と言うのね。「学力とか業績は、あなたの持っている資源でしょ。彼女たちが持っているのは美貌とかファッションという資源でしょ。自分の手持ちの資源で勝負するんだったら、どっちも同じじゃないの？」と言ったら、絶句して黙った。

信田　東大にも、美貌という資源で勝負している女の子がいるじゃない。菊川怜でしたっけ？

上野　東大というブランドが付加価値を与えているから、あの程度の美貌でも売れるんです。

信田　もちろん。でも、あの子はそれをうまく使ってるね。

上野　まあ、わたしだって一時は「学者にしては……」って言われたものです（笑）。

信田　それは、「東大にしては」っていうのと同じかあ。

上野　同じです。どこかの雑誌で「三大美人学者」でとりあげられた。まず田中優子さん、これは問題ないですけど、あと猪口邦子さん、それにわたしが出たときに、林真理子さんが、「あの程度で美人学者って言われるなら、わたしだって」って書いていた。

そりゃ言いたい気持ちはわかるわ（笑）。
信田 書くのが林真理子だよね。
上野 そうそう。立派な人ね。

「かけがえのない関係」という対幻想

上野 それにしても、なぜこんなにグルーミング産業が必要とされるようになったんでしょうね。自己であることの確証が希薄になったから？　いえ昔だってそれほど確かだったとは、言えないと思うのですが。
信田 一九七〇年代以降の性規範の崩れと関係しているのではないですか。
上野 それはありますね。社会学者の宮台真司（みやだいしんじ）さんが、性のカジュアル化に伴って、「関係の偶発性」が強まった、と言っています。だからこそ、その対極に、「かけがえのないわたし」とか、「かけがえのない関係（関係の絶対性）」への希求が出てくるんでしょう。
信田 パラレルなんだ。つまり、もがいてももがいても逃れられないみたいなものがあれば、「かけがえのなさ」は求めなくてすむわけですよね。
上野 そのとおりです。純愛幻想とかね。
信田 「本当のわたし」とかね。踏みつぶしてやりたい言葉ですね。
上野 すごく過激なご発言ですねえ。

信田　「本当のわたし」って聞くとね、わたし、頭から角がキーッと出る感じがするんです。

上野　カウンセリングに来る方で、そのようなご発言をなさる方はいらっしゃる？

信田　います。「『本当のわたし』なんてないと思うんですよ」とわたしが言うと、「えっ？　でも、今のわたしはニセの自己なんです」と言う。そういう感じの人は多いですよ。だからＡＣ*のグループカウンセリングでは、「本当のわたし」という発言を聞くと「言葉を修正させていただきます」「それは使わないでください」とわたしは言います。

上野　「本当のわたし」の前に「かけがえのない関係」というところにはいきませんか？

恋愛アディクションの中では、「あなたにとってかけがえのないわたし」というのはあっても、「わたしにとってかけがえのないあなた」とはほとんど言わないんですよ。「あなたにとってかけがえのないわたしでありたい」、いっそだれでもいい、「だれかにとってかけがえのないわたしでありたい」という自己承認が欲しいだけです。

信田　わたしは、そんなことを思ったことはありませんねえ。「わたしにとってのかけがえのないあなた」というのは思ったことはあるけど。

上野　だから病気じゃないのよ、あなたは。つまり、そこまで自己中心的な考え方はし

＊ＡＣ　「アダルトチルドレン」の略称。現在の生きづらさが親との関係に起因すると自ら認めた人のこと。

ていないということですね。「あなたにとってかけがえのないわたし」は自己中心的な欲望です。だから、相手が自分にとってかけがえがない存在かどうかなんて二の次、三の次で、あまり問題にならない。「わたしがあなたにとってかけがえのない存在でありたい」かどうかです。

信田　それは僭越だよね。

上野　そうです。そのとおりですが、男に選ばれるという存在証明の中にはそれがあります。相手にとって取り替えがきかない存在でありたいんです。

　信田さんのところに、夫との関係で「自分が夫にとってかけがえのない存在だという確証が持てない」ということで来る人は……。

信田　そういうことでは来ませんが、「あの人はわたしがいないとだめになる」という言い方はよくします。

上野　ああ、そちらのほうになるのか。

信田　この言い方は多い。「もうほんとわたし、離れたいんですけど、あの人はわたしが手を離したとたんにだめになることが見えるんです」とね。

上野　夫を支える役割はわたし以外のだれにも務まらない……というふうに思っているわけですね。

信田　務まらない。「かけがえのないわたし」だから。

上野　自己チューですよね。

信田　うん。でもね、本人はそれを自己チューとは思っていない。
上野　「かけがえのないわたし」に対して確信があるんですね。
信田　そうそう。
上野　その確信がないという訴えはないんですか。その確信が欲しいのに、それが持てないからどうすればいいんだろう、という訴えはないんですか。
信田　そこまで問題が整理されていれば、ある意味では解決がついたも同然です。「……ということにお困りなんですね」というふうに問題を立てることができれば、すでにその問題は半分ぐらいは解決しています。

「わたしでなければ」という自己中心の世界

上野　さきほども、ちょっと触れましたが、宮台真司さんが『サブカルチャー神話解体』（パルコ出版、一九九三年）の中で、一九八〇年代以降、性を含むコミュニケーションモードの中で、「関係の偶発性」が支配的になっていったと指摘しています。「関係の偶発性」というのは、「かけがえのなさ」の解体。「あんたでなくてもよかった」「わたしでなくてもよかった」ということなんですね。そうすると、自分の存在の確証を、単一の他者に全面的に依存することができなくなっていく。そのことによる浮遊感とか不確実感というのが生まれていても、この人たちは病理とは考えず、信田さんのところには来ないのかもしれません。

これに対する反動が純愛願望じゃないでしょうか。「どこかにきっと、わたしをかけがえのない他者と思ってくれるだれかがいるはずだ。いなくてはおかしい」。

信田　もしくは、自分の中に「かけがえのないわたし」を見つけようという動きとも連動しています。アメリカで一九八〇年代から、その手の本が出てきましたが、よくないですね、ああいうのは。『愛しすぎる女たち』（ロビン・ノーウッド、読売新聞社、一九八八年）なども、アディクション系では草分けの本ですが、最後は「かけがえのない」「本当の」わたしに帰着してるんですね。そのあとに続くアメリカ産のアディクションものの本は大同小異。まさに関係の偶発性を否認しているんですよ。

上野　グルーミング産業隆盛の背景には、関係の偶発性というコミュニケーションモードの変容が連動していると思うんですね。

信田　宮台さんがおっしゃっているように、関係の偶発性を「かけがえのないわたしを承認してくれる人はいない」とはとらえきれず、たぶん、関係の偶発性に耐えられずにさまざまな行動に出るんでしょう。その行動の結果、困った問題を抱える人は多いはずです。

上野　関係の偶発性を回避して、結婚してしまったり……。

信田　もしくは回避して、さまざまなアディクションに走る。その結果、わたしのところへカウンセリングにやってくる人も多い。だからそういう問題をいくつか整理して、ぐっと迫っていくと、そこにキーワードとして「関係の偶発性」はあるのかもしれない。

ただ、それをそのままストレートに問題化して来る人は、ほとんどいません。

上野　「わたしがいないと、あの人はだめになる」と言う女性は、「わたしは、この人にとって取り替えのきかない存在なのよ」ということに確証を持ってるんでしょうか。不思議ですね。どういう心理構造を持ってらっしゃるのでしょう。信田さんはそのことに、理解と共感を持つことができますか。「その気持ちはわかる」とかおっしゃるわけ?

信田　うそは言えないので、そうは言いません。「あなたがいないと、あの人はだめになると思ってらっしゃるんですね」と繰り返して、そしてうなずく。まあ、この程度ね。

でもね、実際はどうなんでしょうか。だいたいそういう人って、別れるとすぐ同じような人を見つけます。相手の男は唯一無二（ゆいいつむに）の存在ではないわけです。それなのに彼女たちは、「ほんとは別れたほうがいいんですよね。でも、別れないのは彼のためよ。だって彼はわたしがいないとだめになる」って言うんです。

上野　それを逆投射して、「あの人がいないとわたしは生きていけないんです」と言う方はいないの?

信田　それはいない。それでね、一つの特徴として上野さんは「わたし」という言葉を頻繁（ひんぱん）に言いますよね。わたしもすごく「わたし」って言うんですよ。でも、その人たちといると、「わたし」という言葉はほとんど言いません。「わたし」という言葉が会話から消滅している。「夫はね」「息子はね」「世間の人はね」「姑（しゅうとめ）はね」と言う。まあ、「わたし」という言葉をまったく使わないでも、日々は過ぎますからね。

上野　そうですねえ。たしかに「わたし」なしでも日々は過ぎますね。「わたし」は、そこでは空虚な中心だけど、実際にはすべてが自己中心的に世界が組み立てられているわけでしょ？

信田　というふうには彼女たちは思っていない。他者のためにわたしは存在していると思っている。ところが裏返せば、完全な自己中心であるということに、その人たちはまったく気づかないですね。

三十代シングルはどんづまり

上野　結婚の中に入っていった女たちの病理はよくわかりましたが、結婚に入っていかなかった女たちが何を考えているかについては、どうですか。

信田　その人たちに関して、わたしは「かわいそう」という一言しかないんです。直感的なものの言い方で申し訳ないんだけど。

上野　どういう「かわいそうさ」なんですか。

信田　未来への道も見えず、結婚に横滑りもできず、だんだん自分の立ってる地場が狭められてきている中で、この人たちはどうやって生きるんだろうという感じがあるんですね。

上野　パラサイトシングルの調査対象を山田昌弘さんたちが二十五歳から三十五歳に設定したとき、「なんで三十五歳が上限なんだ」とわたしは思ったのですが、問題はむしろ三十五歳以上に集中している。

信田　ほんと、わたしもあの年齢でね、今の日本で生きていたらどういう選択をするだろう、どうやって生きるだろうかって思うんですよ。だって、八方ふさがりでしょう。

上野　それはとってもよくわかります。「ポスト均等法世代」で実際に総合職になった女はほんの一握り。あのころ、日本の企業は見事にコース別人事管理制度を導入しましたから、ほとんどの女性は一般職ＯＬになっていったんですね。ところが、一般職だと、もう五年も働けば頭打ち。仕事はルーティン、会社の鼻つまみ、だけど辞めたらもうあとがないから職にしがみつく。気が弱い人は冷たい目線に耐え切れず、辞めて派遣で再就職。どんづまりですね。

親も三十代前半ぐらいまでは、まあいいだろうと思って見てるけれど、四十歳近くになるとさすがに心配をする。それにもう一つ、子産み年齢のタイムリミットがくる。それで四十歳になるとシングル率はぐっと下がります。

だからこの人たちが、ほんとにどんづまりになって、仕事にも見通しがなく、人生に何の展望もなく、しかも不況で先がない。結婚の可能性はどんどん低くなる。親は年を取っていく。第二、第三の東電ＯＬは登場しますよ。

信田　昼間のわたし、夜のわたしと言って、夜になると東電ＯＬのような生活をしている人たちは、実際に多いんでしょうか。

上野　テレクラユーザーとか、エステ・アディクションとか、語学スクール・ショッパーとか、いろいろいるでしょ。

信田　ま、テレクラはねえ。でもテレクラとか出会い系はすごくリスキーだということがだんだんわかってきたから、なまじの人は手をださないでしょう。

上野　いずれにしても、仕事を続けているシングル女がすべてサクセス組というわけじゃない、ということですね。一般職ＯＬの場合、十年たっても見とおしのなさは変わらず、しかも職場の居心地はますます悪くなる。

信田　そうなのねえ。あとは「相対的剥奪(はくだつ)」ということによってより追い詰められている。どうするんだろう。時が解決するんでしょうか。四十歳を過ぎてしまえば、それこそ子どもを産むという選択肢が一つ減る。

上野　おもしろい例としては、三十代後半になって、初めて人生設計を考えたという女の人がいます。その人が、三十五歳で「自分の人生設計から結婚という選択肢が消えた」と言うんです。もうだれも結婚話の口利きをしてくれなくなる。そうなって初めて、自分の将来と親の介護を含めた将来設計を考え始めたというんです。

　親の介護を考えれば、娘が親にパラサイトしたままで年を取っていくというのは、一つの選択肢ですよ。だけど、これが息子だときついですよね。もはや結婚が射程に入らずに、親と一緒に年を取ってく中年の男というのは……。

信田　家族の中に、介護要員がいないわけですね。ただ、選択肢が減っていくことで、どんどん楽になっていくということはあるでしょう。

上野　そうなれば覚悟を決めるしかないですから。

「性の賞味期限」が延びて

信田　摂食障害とか、そういうさまざまなアディクションというのは、自らが自らの選択肢を消していく行為であるという考え方もできます。そして、これしかないというところまで行き着き、そこから再生する。物語はふたたび始まるわけです。摂食障害の女の子たちの回復物語には、そういう意味があるんじゃないかと思うんですね。

上野　何が回復の契機になるんですか。

信田　ゼロからスタートする、つまり、落ちるところまで落ちると選択肢はなくなります。

上野　なくなる選択肢って、露骨に言うと、男から選ばれるという選択肢ですか。

信田　それは残っています。それと、やっぱり子どもを産むという選択肢も残っています。たとえ生理がなくてもね。彼女たちの場合は、もう学校は中退してしまっている。母親が、食べずに死ぬよりはましと思って中退させてしまっていますから。だからOLになる道も閉ざされ、どんどん道は狭まっていくわけです。そこで彼女たちは、選択肢を全部葬（ほうむ）った上で、新たに一つずつ選択肢を回復していきます。これが、摂食障害の人たちにとって、自分という物語の新たな構築ではないかというふうに思ったりするんです。少しずつ回復して、とりあえずコンビニでレジを打てるまでになったという物語があるわけです。

上野　葬る選択肢の中に、性的身体としての女の賞味期限は入っていませんか。かつて摂食障害から病み上がって、その後ふくよかになった女性にお会いしたことがありますが、「三十歳過ぎて、自分の身体が、男の性的な視線の対象にならなくなったと思ったら、安心して食べられるようになった」とおっしゃってました。

信田　だから摂食障害の当事者の一部の人たちは、ここ数年、フェミニズムに接触し始めているんです。三十歳を過ぎて回復して、身体がふくよかになったりすると、ふたたび異性の視線によって「女としてのわたし」が出てくるからです。

上野　性的身体の賞味期限が長期化してるからですね。昔は三十歳でおしとねすべりだったんだもの。

信田　それが別の意味というか、積み残した荷物という感じで出てくる。つまり、摂食障害によってどんどん体重が落ちていくときには、自らが性的な欲望の対象になる身体を持つ女であったということは自覚されないでいる。そもそも自覚することの回避でもあるし。

上野　「積み残した荷物」というのはすばらしい表現ね。その「荷物」は自分自身の「荷物」で男は副次的な存在なんでしょう。

信田　摂食障害っていうと、今まで言われてきたのは親子の関係でした。一つは、親から切れることが回復の契機になる。これはある意味で大きなポイントだと思うんですけど、もう一つは女としてのわたし、「男の性的欲望の対象としてのわたし」というものを意識化するということ。これが、今までの摂食障害の回復像の中にはきわめて希薄でした。

上野　九〇年代に初めて精神科医の斎藤学さんと会ったころ、わたしが彼にずっと聞き続けた問いがあるの。なぜ性にではなく、食にアディクトするのだろうか、って。女の子のアディクションの中で一番わかりやすいアディクションは、性に対するアディクションです。女の子の場合は、黙っていても向こうから寄ってきてくれるから、こんな安直な方法はないんです。そこで、彼の答えとわたしの推測が一致しておりました。性への回路が禁じ手になっているからだと。だから摂食障害にとっては、性の問題は封じられているわけですよ。あなたの言うとおり、「積み残した荷物」になっているんですね。

信田　禁じていた人は母親です。

上野　母親の禁じ手を超自我として取りこんでいるんだ。

信田　超自我って言葉を使えばそうですが、あまり使いたくないなあ……。だから親から切れることが一つの回復の契機になるわけです。切れると再び……。

上野　禁じ手も外れる。

信田　外れる。それで積み残した荷物として、女性というセクシュアリティの意識が当然浮上してきます。

上野　何歳ぐらいですか？　三十代になってから？

信田　だいたい二十代でめちゃくちゃをやって、三十歳をちょっと過ぎたころに落ち着く人が多いんです。だから三十代が中心になります。

上野　おもしろいですね。性の賞味期限がしばらくの間に、二、三十年延びちゃいましたから。昔は三十過ぎの女はババアで、もはや男にとっては……。

信田　おしとねすべり。

上野　……だったんですが、今や三十代は、性の現役ですからね。

信田　五十代だって現役でしょう?

上野　だんだんそうなってきました。ですからセクシュアリティを封印できなくなってきたんですね。「もうわたしおばあちゃんだから、ホホホ」って、昔は三十女が言ったんですよね。「人妻のわたしにそんな」とか。

『いつから私は「対象外の女」』（講談社、二〇〇二年）ていう、品のないタイトルの本があります。女の賞味期限について書かれた本で、著者は四十代前半の大塚ひかりさん。女が男の目から見て対象外になってしまう直前に、つまり賞味期限切れぎりぎりのときに、あと一花咲かせたい、という内容。まあ、なんて古臭い人だろうと思ったんだけど、そういうことを書いている本人は既婚者なんですね。

森瑤子が『情事』（集英社、一九七八年）でデビューしたのが三十八歳です。『情事』の中で、「セックスをやってやってやりまくってヘドがでるほどやりたいと思った」って有名なセリフが出てきて、それが三十代半ばの女の心をつかんだんですね。

信田　そういう意味で、森瑤子の役割は画期的だった。

上野　ええ。ただし、彼女はそのとき三十代後半でした。『いつから私は「対象外の女」』という本を書いている大塚さんは四十代前半。四十代と聞いて、ああそうか、この十年か二十年の間に、賞味期限が延びたのかと思いました。

誘惑者としての女

信田　さっき上野さんが、「男に選ばれなくても、わたしはわたし」の一言が女には言えないとおっしゃいましたけど（43ページ）、普通、女として「わたし」というときには、「男に選ばれる」という与件がすでに組みこまれていますね。女子アナを見ていてもわかります。なぜニュースを読み上げるのに美人じゃなきゃいけないのか。

上野　それに関しては、わたしは小倉千加子（おぐらちかこ）さんの『セクシュアリティの心理学』（有斐閣、二〇〇一年）の中に出てくる「思春期とは」の定義を実に卓抜（たくばつ）だと思った。思春期とは、女の子が自分の肉体が男性の欲望の対象になり、男性の視線によって値踏みされるということを自覚したときに始まる。それはその子の生理年齢に関係がない。三歳で自覚したら三歳で思春期が始まる、と言っています。……おそろしい世の中ですよね。

精神分析的フェミニズムの中に、ジェーン・ギャロップの『娘の誘惑』（勁草書房、二〇〇〇年）っていう本があるでしょ？　「誘惑者としての娘」というのは、精神分析のキーワードの一つですよね。それはフロイト的倒錯、つまり原因と結果の取り違えなんですが、女の肉体に価値があると認めるのは男の目線であって、その価値は男の手の中にあって女に属さない。だから女にはコントロールできない。女の値打ちは、もっぱら男性の値踏みに依存する。にもかかわらず、男は自分を魅惑する原因が女の中に内在してる、と責任転嫁（てんか）するわけです。

責任転嫁という点では、DV（ドメスティック・バイオレンス）の加害者もそうですね。よく、「彼女が僕を殴らせるんだ」という言い方をする。

信田　子どもの虐待もそうです。「子どもがわたしをいらだたせる」と言う。被害者に責任があると。

上野　セクシュアリティにおいても、「女が誘惑者なんだ」と言うわけです。

近代家族の中で、娘に自分が誘惑者であるということを最初に教えるのは父親です。アレクサンダー・ミッチャーリヒという、フロイト左派の社会学者が『父親なき社会』（新泉社、一九八八年）という本を書いているんですが、この人が「ポジショナル・ファザー」（位置としての父親）という見事な概念を示しています。ファザーコンプレックスに実際の父親の有無は関係がない、父の位置に父の代用物がいさえすればそれで十分だと。つまり父性理想というものを持っている社会においては、実際の父親がどのような男であるか、実際に父親がいるかどうかに左右されない。むしろ実際の父親がふがいなかったり、不在だったりすればするほど、父性理想は妨げられることなく完璧（かんぺき）に作り上げられるから、そのような社会はファシズムに親和的だと言っています。

信田　とにかく、思春期は父によって開始されるってことね。

上野　娘は三歳で学ぶと思う。

信田　ほんとにそう思う。三歳ぐらいの女の子で、しなを作ったりして、男から見れば誘惑してるような女の子がいます。父親がそれを価値あるものとして見るからやるんでしょう。

上野　そうやって、男にとっての自分の価値を意識し始めた娘たちを、母親は、色気づいたとか、盛りがついたとかって感じながら、おぞましいと思うんでしょうね。

信田　母から息子、つまり誘惑者としての息子というのはない？

上野　あるかもしれません。

信田　小学生で、りりしいナイトをやる男の子がいます。学童クラブの指導員から聞きましたが、疲れた顔をしてると、小学校一年生の男の子が後ろからやってきて名前を呼ぶんですって。上野さんだったら、「チズちゃん、疲れてるね」って。それでね、「なんて君はやさしいの」って言うと、「まかしといて」とか言う。これは、誘惑する娘の逆バージョンで、母親からそういう男らしさを日常生活の中で求められているのではないかと思うんです。

上野　それは学習効果だと思います。その学習の背後には、それは母親の間断なきメッセージがある。「見てごらん、お父さんを。あんなふうになるんじゃないよ」というメッセージだと思うな。カウンターモデルとしての父親、そして、母親（妻）の夫に対する不満の投影があるんじゃないかな。

信田　可能性はありますね。

上野　これじゃ、あまりに古典的なフロイト図式なので、鼻白(はなじろ)みますね。

信田　わたしは全然そうじゃないと思いますけど。

上野　こういう構図は、近代家族の成立の当初から原型としてあるような父子関係、母子関係みたいに聞こえてしまうので、それに、もうちょっと時代という要素を入れて考えてみたい。

「男の性的欲望の対象」という自覚

信田　上野さんは笑うと思うけど、わたしは自分が男の性的欲望の対象になるということを自覚したことはありません。

上野　カマトトか鈍感か、どちらなんですか？

信田　いやいや、ほんとなのよ。見ず知らずの男性の視線をイヤだなと思ったことはあるけど、顔見知りの男性にとって自分が性的な欲望の対象になっていると自覚したことがないんです。

上野　いくつまで？

信田　いくつまでって……、いまだに。

上野　うそおっしゃい。やめてくださいよ。そんなカマトトは。

信田　「この人はわたしに気があるかもしれない」と感じても、それに気がつかないようにしているというのはありますよね。

上野　ポテンシャルには、男の性的な視線が磁力のように重力のように世の中にあるってことが前提で……。

信田　世の中にはあるよね。

上野　だからそれを封印するようにふるまっているのは、逆にきわめて自覚的ってことじゃないですか。

信田　性的な欲望の対象になるってイヤじゃないですか。

上野　それを逆にコントロールして、男の鼻面引きずり回す女だっているじゃありませんか。やったことはないんですか？

信田　引きずり回すの？　わたしが？

上野　林真理子の小説を読むと非常によくわかります。女に対して男が与える価値を自覚した上で、それを手玉に取る女。それに対する林真理子の憎悪が、実によく出ていますね。しかも、女の子の中にはそれを無自覚、無意識にやってしまう人も多いですね。相手を挑発し抜いて、その上でイノセンスをパフォーマンスとしてやってる若い女の子はたくさんいますよ。とくに性的抑圧の強い国から来たアジア系の女の子なんて怖いですねえ。

信田　弱者であればあるほどやるんでしょうか。

上野　女を性的欲望の客体にするまなざしっていうのは、重力のようにこの世の中にびまんしておりますから。

信田　それはわかる。

上野　その重力を感じるか感じないか、だけの違いでしょう。そして重力に抗するためには意志がいる。

信田　そっか、わたしは抗するように生きてきたと思うんですけど、違いますか？

上野　そうでしょうか。自己認識っていうのはしばしば、後から捏造（ねつぞう）されたものですから。

上野の父、信田の父

上野　わたしの場合、「誘惑者としての娘」という位置を、三歳のときに父から学びました。つまり父をわたしの意のままに操ることができる。しかも、わたしの中の得体の知れない、原因のわからない力によって。そのことに母が嫉妬（しっと）するということも学びましたよ。父親に対してならどんな小さな女の子にもその力がある。自分が無力ならば無力であるほど、誘惑はセンス・オブ・パワー（自分の力を感じること）の源泉ですからね。わたしはたぶん、若いころはそれで男を試し続けたと思います。イヤな女だったでしょうね。

信田　上野さんは経験豊富だから、いいよねえ。そういうのやりたかったなあ。

上野　やってないの？　うそだ。
信田　やってませんよ。
上野　なんで封印したの？　封印したのは何か理由があるの？
信田　うーん、まあ、それは嫌悪かもしれない。
上野　その嫌悪はどこから植えつけられたの？
信田　嫌悪は父親の影響だと思う。父はそういう、媚(こ)びを売る女が嫌いなんですよ。そういうふうに娘を育てなかった。
上野　娘を誘惑者に仕立て上げなかった。
信田　絶対、それはなかったですね。
上野　ふーん、毅然(きぜん)とした禁欲的なお父様だったの？
信田　いや、そんなことはないですよ。
上野　娘を性的な存在にしたくないというのは、娘に対する支配欲の裏返し？
信田　そうでしょうね。
上野　でも、妻は違うんでしょ？
信田　違うでしょう。でも娘は、媚びとか誘惑とか、そういうものとは無縁な環境で育てたかったのかもしれません。
上野　英才教育だ。
信田　何を育てたんでしょうね。

上野　父にとってはある種の夢の女ですね。つまり、自分の理想どおりに仕立て上がり、どんな男の手にも渡らない女です。あなたが結婚相手を見つけたときの、お父様の反応はどうでした？

信田　いちおう反応しましたけど、あくまで紳士的でした。

上野　失望なさったりはしなかったの？

信田　わたしに？　あっ、それは失望しましたね。

上野　お前も結婚するのかと。

信田　そうそう、それはそうですよ。わたしが出産するとまた失望して……。他のどんな男にも侵されない娘をイメージしていたんでしょうね。

上野　他のどんな男にも手渡さない娘、ですね。別の意味で男親のエゴイズムね。

信田　そうですね。半面、非常に常識的な男性でしたし、母からは結婚はしなければいけないとたきつけられていましたが、わたしの妊娠についてはすごく当惑していた感じでした。父にとってはアンビバレンスだったと思います。

上野　わたしの父親はねえ、もうちょっとひ弱で自分中心で、自分の欲望を隠したり、律したりしない男でした。ですから、彼はわたしをとことんスポイルしました。父はわたしには、メロメロでしたが、その原因がわたしの側にはないってことぐらい、娘は気がつきますからね、三歳だって。

自分の中に原因があるわけではない力を、子どもはずるいですから、とことん利用します。しかも、その力を母親に対して行使します。父親は母には横暴でしたから、母は娘に甘い父親に対して、嫉妬しました。家族の中のパワーダイナミクス。わかりやすい近代家族でしょ？

「女性性」資源の行使

信田　そういう力を一回ぐらいは使ってみたかったなあ。気持ちいいもの？

上野　信田さんが使ってないとは思えない。胸に手をあてて、みなさんに告白してください。生まれて初めて告白するわ、これまで人には言わなかったけれど……って。

信田　いやいや、その点ではあんまり自覚的じゃないから。使ってないというふうに今まで物語が作られてきたので。

上野　なるほど。でも、「実はあのとき」というのもないの？

信田　あるかもしれない。「ふーん、そっか、この男性はわたしの思うままになる」と思ったとたんに好き放題なことをするということは、ある。

上野　あなたの場合、ちゃんと資源を持っていらっしゃるし。

信田　資源て何？

上野　女性性資源です。

信田　その女性性資源って、どういうこと？

上野　たとえば、あの林真理子さんにはなくて信田さよ子さんにはあるものですよ。自覚してるでしょ?

信田　いつもそう言うんだよね、上野さんて。でも、ほんとにそれはないの。そういう意味では、きわめて禁欲的な男性関係です。これを言ってもだれも信じてくれないんですが、わたしは自分の性について、ものすごくアンビバレンスですよ。

上野　わたしもその意味では、また方向が逆のアンビバレンスですよ。自分が性的な存在であるということを試しながら、そのことを嫌悪しているわけです。実際に試してみると、その試みに男がハマる。で、「ああ、やっぱりこいつもただのオスだったか」ということを確認するたびに、やっぱり嫌悪感を……。

信田　わたし、そういうことをやったことがないのね。

上野　そういうふうに自分を統制してきたということでしょ。わたしはね、非常に観念的な娘だったから、自分の観念の犠牲に肉体を供したわけです。

信田　ほお、すっごいねえ。

上野　だから、援助交際の子と似ていると思いますよ。つまり、観念どおりにちゃんと肉体が動くか。で、動いたわけですよ。やってみたらなんてことないわけです。愛がなくてもセックスはできるし、同時に二人を愛することもできる(笑)。

信田　観念的な行動ですね。

上野　そうです。別に性欲からではない。これって、女がね、ほっとけば自分より優位に立ち続ける男に対して、センス・オブ・パワーを感じることができるチャンスでしょう？

信田　そりゃそうですね。それは仕事上では使っているかもしれません。男性の精神科医に「もうっ、先生！」って言ってみたり、「お願いしまーす」って言ってみたり。そういうのとは違うの？

上野　それってパフォーマンスですよね。

信田　パフォーマンスですよ、もちろん。

上野　自覚してやってるわけね。で、相手の男がそれにちょろく引っかかるのを見てらっしゃるわけね。

信田　見てる。

上野　安直よねえ。

信田　ほんとに。心の中では「なーんて単純なヤツ」とか言いながら、「ありがとうございますぅ」とか言えばいい。

上野　シナリオどおりに反応してくれるからね。だから、やっぱりコントロールしてるわけでしょ。

信田　女性はこんなことぐらいでしか、パワー行使できないかもね。

上野　まあ、だから数少ないチャンスよね。

信田　数少ない？　他にもありますかね？

上野　母親になるともっと絶大なセンス・オブ・パワーが味わえますよ。男どころじゃないですよ。わたしは、この権力関係がほんとにイヤだったんですよね。女と男の権力関係もイヤだったけど、もっと絶対的な権力関係は親子関係ですから。男女関係においてなら、男はイヤならわたしの前から逃げたらいいんですよ。だから、「逃げないのはあんたの勝手でしょ」っていうことになる。だけど子どもには、「逃げないのはあんたの勝手」とは言えないわけでしょう。わたしが子どもを産まなかった一つの理由に、それがあります。

信田 それ、いくつでわかっていたの？

上野 わりと早い時期です。自分の親子関係を考えると、あの関係を自分以外の他者と、今度は自分が強者の立場で反復することに対する恐怖。この恐怖心から逃れられないですね。

信田 そういう人、ときどきいますけどね。

上野 対等でない人との関係というのはどんなものかわかるから、作りたくないんです。わたしの場合はそれが禁じ手ですね。

信田 自分が強者になるぐらい怖いものはないよね。子どもとの関係というのは、絶対的な権力行使でしかありえないもんね。

上野 そうです。だから逆に言えば、強者だと思える相手はどのようにもズタズタにできる。後になって気がつきましたが、強者だと思っていた男って、案外もろい、傷つきやすい生き物でした（笑）。

それにしてもおもしろいね。信田さんが、男に対する誘惑という権力の行使を禁じ手にしてこられたというのは。

信田　今日は、すごくサービスしてる。

上野　本邦初演の話ですね。

第三章　「愛はなくてもセックスできる」は常識なのに

既婚女性も不倫市場に参入

上野　結婚の空洞化について考えてみたいのですが。

信田　結婚しているからセックスする、結婚してないからセックスしないっていうのが、一九七〇年代から成り立たなくなって、「愛」「性」「結婚」を三位一体（さんみいったい）とするロマンチックラブイデオロギーにおいて、「性」と「結婚」が外れたということですね。

上野　結婚の中では二つの異変が起きています。一つはセックスが結婚に必然的に随伴するものではなくなった。だからセックスレスが離婚の理由ではなくなった。もう一つは、不倫が珍しくなくなって、不倫もまた、離婚の理由ではなくなった。不倫はそれまで、ほとんど例外なく、既婚男性と未婚女性の関係だったのが、既婚女性も不倫市場に参入してきた。これが「金妻（きんつま）」現象ですね。おもしろいのは、五十代の中でも、団塊世代が分岐点になります。団塊より上の世代だと、不倫願望はあるがそれを行動に移さない。でも団塊以降は、不倫願望を行動に移す女が出てくる。

　不倫に関してメディアは、たとえば女性週刊誌とかはだいたいバッシングするんですよね。ところが、実際に個々の女性に聞き取りすると、「総論反対、各論賛成」なんですよ。タレントのあの人がやるのは許せん。社会的にこういう不道徳は許せん。でも、お友だちの不倫は応援してあげたい。わたしの不倫ももちろん許される。さらにおもしろいのは、不倫のサポートネットワークというのがあって、愛人に会いに行く友だちの子どもを預かるとか、夫からの問い合わせに辻褄（つじつま）合わせをやってあげるとか、ちゃんとやっていらっしゃいます。

信田　なるほど。でも、男の場合に、そういうサポートはいらない。男の場合は社会がサポートしてますから。

上野　そうですよ。

信田　結婚ということで言うと、わたしが上野さんに初めて会ったときに、「信田さん、離婚してると思った」と言ったでしょう。

上野　だってほら、すさまじいさまざまな人生のどろどろを抱えた方たちが、あなたの前にいらっしゃり、あなたはそれに対して非常に大きな包容力と理解力を持って接しておられる。だとしたら、他者に対する理解力だけでなくて、ご自分の行動の許容範囲も相当お広いのであろうと、そう推論しても不思議ではございませんよね（笑）。

それでまあ、バツイチぐらいにはなってらっしゃるのか、それとも結婚生活を続けてらっしゃっても、相当キセルをやってらっしゃるのかと……。

信田　キセルって何？

上野　中抜きです、はい。

信田　中抜きって何？

上野　「キセル」という言葉を作られたのは、わたしの尊敬する作家の三枝和子（さえぐさかずこ）さんなんですが、入場券と降りる駅の切符を持っていて、真ん中の切符がない。これをキセルって言うんです。だから、結婚生活の入り口と出口は一緒だが……。

信田　出口って？

上野　だから、老後は一緒。離婚はしない。が、ときどき中抜きはする。

信田　中抜きって、具体的にどういうことですか？

上野　そこまで言わせるんですか？　これ以上の説明はとてもできません。

信田　不倫？　許容範囲が広いから？

上野　その不倫も、もはや離婚の理由にはならない。それともう一つ、不倫の新しい現象は、夫に対する不満が不倫の動機にはならないということです。

信田　わたしは、結婚は制度だと思ってますから。制度であるということを知らずに制度に踏みこむのが結婚です。若気のいたりで踏みこんでしまったら、それは制度だったわけですよ。で、制度だということがわかって、制度を壊したほうがいいか、壊さないほうがいいか……。

上野　いつでも、キャンセルはできますよ。

信田　でも、その制度によって守られるものもあると考えると、制度を守っていったほうがいいかなと思って、今は制度を守っています。

上野　それは、はっきり言ってトクです。今の世の中、結婚してるほうがありとあらゆる面でトクです。よってたかって、制度を守るほうがトクになるようにしているんだから。だから、わたしが問題にしているのは、制度の空洞化という、実態のほうです。

信田　制度ってだいたい空洞化しているんじゃないですか？

上野　あ、なるほど。今のでもう、お答えをいただきましたね。

離婚率は上がらず、結婚は空洞化

上野　制度の空洞化は、日本における「なし崩し性解放」の一つの結果ですね。日本では、離婚率の上昇とか、婚外子出生率の上昇という、目に見える変化が起きないかわりに、制度の形を維持したまま、空洞化が進行している。統計数字には表れませんが、臨床現場で空洞化を感じられるようなケースはありませんか？

信田　空洞化してもいいから制度を守っていこうという人は、カウンセリングには来ません。逆に、空洞化しかけたものを、ロマンチックラブイデオロギーによって、もう一回タイトに「愛」と「性」と「結婚」の三位一体を再現しようとして、苦しむ人たちがほとんどですね。

上野　たしかにそうね。空洞化の現実をそのまま是認し、許容できたら、苦しまなくてすむんでしょうね。空洞化をそのまま生きる人たちは悩みませんから、あなたの前にはいらっしゃらないのでしょう。

信田　自覚的であるかどうかは別としてね。だけど、わたしたちのところに来るのは、近代家族の桎梏をそのまま体現して、家族幻想に首まで浸かった人たちです。

上野　まじめな人だよねえ。

信田　そう。悩むのは、まじめな人なんです。

上野　とは言っても、自縄自縛ですわな。

信田　というふうに、彼も彼女も思ってはいない。わたしたちがあるべき家族の理由を実現できないのはなぜか。彼の病理？　わたしの病理？　という感じ。家族とはそこに集う人たちを安らがせ、居場所になるものなんだ、そして、それは現実としてどこにでも存在しているものだと、そういう人たちは思いこんでいます。

上野　そういう方にどう対処なさるの？

信田　家族観を少しずつ崩していきます。一つには離婚がありますが、もう一つはしたたかになって……。

上野　空洞化を生きろ、と？

信田　そういうことですよね。

上野　わたしがやっているように、と。

信田　それは、上野さんが言ってみたかったんでしょう？　うれしそうなんだから、ほんとに。

上野　無邪気でしょ？

信田　どういうときにそんなに無邪気になれるの？　信田がちょっと困るだろうなあとジャブを切ってるとき？　まあ、いいですよ、サービスしましょう。

上野　お互いさまです。わたしもサービスしてるわ。

空洞化を生きるツケはどこに回る？

上野　空洞化を現に生きている夫婦の間で育つ子どもにツケが回る。これはいかがでしょう。

信田　それは、わたしは全然、悪いツケが回るとは思いません。そんなもの、子どもにはわかります。ありえないものをあるとして幻想をもたせるよりも、「何にもない」ということを子ども時代から見て育ったほうがいい。空洞化はあっても、それは斎藤環(さいとうたまき)さん（精神科医）が言ってるように、たとえば、隣に座ってお茶をいれてやるとか、思いやりをもって接すれば、空洞化は十分に埋まるんじゃないでしょうか。

上野　うーん。けっこう楽観的ですね。たとえば、援助交際をやるような子の中には、経済階層が高くて、仮面夫婦をやっているご家庭の子どもさんがけっこういらっしゃいますよね。

信田　うん。ただわたしはね、それもすごくグラデーションがあるように思う。一方ではすごく傷つけ合うんだけど、もう一方では、「パパ、わたしのこと好きよね」とか、「オレにはお前しかいないんだ」とかいう局面もある。近代家族の理想を実現している

と思いながら、実はものすごく傷つけ合っているような夫婦よりも、空洞化はあるんだけれども、非常に距離をとって傷つけないで最大限共存していくほうが、害は少ないと思います。「機能十全家族」なんてないんだもの。

上野　害が少ないというよりは、子どものほうでサバイバルの知恵を身につけるんでしょう。

信田　あとやっぱり、ある種の人間関係のスキルは学べる。

上野　逆に言えば、人間関係に対する基本的な信頼感を失うこともあるでしょう。人間関係にシニシズムを持つようになるとかね。

信田　だって、スキルなんてシニシズムの裏側にあるものじゃないですか。

上野　あ、そこまで言いますか？

信田　言いますよ。

上野　じゃあ、あなたのクライエントに、そのようなシニカルなスキルを身につけることをお勧めになりますか？

信田　勧めますね。スキル、そしてその基本にあるのがシニシズムですね。

上野　フランス的な解決ですね。

信田　そうです。わたしはそうだと思う。

上野　それをマチュリティ（成熟）とお呼びになる？

信田　わたしは、マチュリティという言葉は使いません。小倉千加子（おぐらちかこ）さんが言うように、

思春期が三歳にして始まるというのであれば、いわゆる従来の発達観における成熟とか未熟ということが無効だと思うの。

上野　そうすると、「本当のわたし」というものに対する信田さんの嫌悪感も、「本物の関係」に対する嫌悪感も同じものですね。

信田　ああ、同じものです。

上野　じゃあ、かけがえのない関係っていうのは……。

信田　もうそんなものは……。

上野　もちろん幻想ですよね。でも、「幻想を生きろ」と言うか、「幻想と承知で生きろ」と言うか、この間に距離がありますでしょ。そのときに、「わたし、信田先生ほど強くないもん」って言われたらどうします？

信田　「残念ねえ、あなたは弱くて」と言います。あるいは、「あなたは十分強いじゃない。わたしにはないしたたかさを持ってるし」と答えます。

上野　そうなのよね。結局その人は、自殺もせず、犯罪も犯さずに生きてるんだから、「現にあなた、生きてらっしゃるじゃありませんか」って。

信田　それがソリューションですよ。

上野　でも、保守主義の泥沼かもしれませんよ。

信田　鋭い一撃。

幻想を捨てれば苦しみは消える

上野　幻想があるせいで自らが自縄自縛になり、幻想との落差が苦しみの原因になる。だから、幻想を捨てれば、苦しみの原因は消えるわけです。

わたしはこういうときに伊藤比呂美さんを思い出すんですが、いわゆる機能不全家族で育った娘が、その現状を、「家族ってこんなものであるはずない！」なんて思いこんで、近代家族を我と我が手で実現せねばというオブセッション（強迫観念）の中にすんで入っていく。あとで彼女は、その家族を解散しましたが。それはどう思われますか？

信田　それは彼女の年齢というか、彼女の生きた時代のオブセッションの中に入っていくんだと思います。今の十代にはそういうものはあるんでしょうか。コミックを読んで気づいたのですが、少女マンガの世界にオブセッションはとっくにありません。だから女にはない。男のほうはまだあると思う。だから今の十代は、そんな心配はないと思います。

上野　そういう意味では、家族の空洞化と解体を、今の十代はすでに生きてしまっている。幻想との比較による落差を苦痛だと感じさえしなければ、みんな死にもせず、病気にもならず、生きていけるわけですからね。

信田　でも逆に、幻想がないからこそ、「居場所のなさ」みたいなものがリアルにひしひしと感じられるんだと思う。

上野　「居場所がなければならない、あるはずだ」というのも、一つの幻想ではないですか？

信田　自分が自分と承認される、つかの間の承認を得られる場所があるという幻想ですね。たまたま家族がそういう場所じゃないときに、「家族こそがそういう場所である」という幻想がないがゆえに、「家族以外のところでそれを求めなくては」というオブセッションがあるのかもしれない。上野さんは、それが援交の少女であるというわけですよね。

上野　うん。

信田　そのへん、難しいなあ。

上野　それも幻想だから、居場所なんかいらない、というところまで踏みこんで言い切れますか？

信田　そうねえ。できればね。ただ、そこまで言えるかな。人間関係的なものが一つもないところで生きられるんだろうか……。

「関係」という泥沼に入った近代家族

上野　しょせん約束事ででき上がっているのが家族ですけど、ルール違反を織りこみ済みなのが、空洞化した家族。儀礼だけで成り立っている夫婦もありますからね。まあ、そんなものです。家族って見事に制度ですから。

そもそも昔の家族は、儀礼だけで成り立っているところがありますよね。どうやってご飯を食べるか、どうやって日常生活を送るか。「食事のときにしゃべるなんてもってのほか」というのは、いいお家のしつけでしたからね。近代家族は、その儀礼を壊したせいで、「関係」という泥沼に入ったんですよね。

信田 そうですね。それで今再び制度に戻っていく、儀礼に戻っていくということは考えられますか？ くるっと一回転して……。

上野 わたしは儀礼に戻るとは思えない。儀礼はもう無用になればいいんじゃないですか。つまりね、近代家族の泥沼って、やっぱりある種の定型化した儀礼を壊したときに、わたしとあなたの関係を、むき出しで作らなければいけなくなった男女の問題だと思うんですよ。

信田 父、母、子でね。

上野 うん。もちろんその中にも、最低限の定型はありますよ。だから、斎藤学(さいとうさとる)さんがおっしゃるように、妻ロボット、母ロボット、子どもロボットとか、森田芳光(もりたよしみつ)さんの『家族ゲーム』（一九八三年）という映画にみられるような、家族らしさを演じる儀礼はもちろんありますけど。

家族っていうのは、本当は実体ではなく儀礼によって成り立っているんですが、実体がなければならないと思いこむ人たちがいるんですよね。儀礼は儀礼でいいじゃないか、儀礼っていうのはルールとマナーでできているんだから、という考え方もありえます。

信田　わたしは、儀礼家族を提唱したい。

上野　だったら、それを継続する理由は何でしょうか。もう、なくてもいいじゃないかってことになりませんか?

信田　壊すデメリットが大きいのでね。

上野　これから家族を作ろうという世代が、「そんなものいらない」と言ったら、どうなります? 儀礼家族に入っていった人たちが、壊す理由がないから続けてるというのは、それはそれでけっこうだと思いますよ。でも、最初から、「わたしはそんなところに入らない」という男女が増えて、非婚化が起きているのも、それはそれで仕方ないと思うんですよ。

信田　でも、そういう人たちでも、実体を求めて傷つき、また敗れて実体を求めるということを繰り返すんじゃないですか。

非婚化が進んでも、結婚願望は減らず

上野　だから儀礼はいらないと言うには、かけがえのない関係とか、居場所とか保証とか、そういうものは求めないという態度が、どうしても必要ですよね。

信田　実体のない、かけがえのない関係を求めて、束の間の幻に一年で敗れて、また次に「ああ、やっぱりかけがえのないのは、こっちだった」と、転々とするのも一つじゃないですか。

上野　それがロマンチックラブイデオロギーを最も愚直に生きる事実婚カップル、というパラドックスになっちゃうんですよ。アメリカ人が離婚、再婚、再々婚をくり返すシリアル・モノガミーもそうですね。一番古典的な人たちです。

信田　それが増えるんじゃないの？

上野　増えるとはとても思えません。

信田　そうかなあ。でも、家族幻想の形が変わり続けてって、多様化はするでしょう。

上野　だけど、さっきあなたがおっしゃったように、すでに空洞化を生きてしまっている家族の中で十代の子どもたちが育っているとしたら、その子たちはもはや家族幻想を持たないかもしれません。

信田　奇跡的に、「うちの家族ほどいい家族はいない」と思えるような家族もあるだろうし。

上野　うっ、固まりそう。

信田　いやいや、あるだろうし、そういう家族で育った子どもは、「お父さんとお母さんみたいな夫婦になります」と言って結婚するだろうし。

上野　いないこともないかもしれない。でも、そううまく再生産はできませんよ。

信田　そうかなあ。結婚式場へ行くと、みんなスンスン泣いて、両親に花束を贈って、「ありがとう」とか言ったりしてません？

上野　結婚願望、どうして減らないんでしょうね。わたしは不思議でしょうがない。

信田　やっぱりリセットできるということがあるでしょう。結婚によって、それまでの人生をリセットして、新たな人生を始められるという感じじゃないでしょうか。

上野　そういえば、非婚化と結婚願望というのは相関してなくて、結婚願望は高いままなんですよ。非婚化については、結婚願望の期待水準が下がらないから非婚化が進んでいるというのが、多くの研究者の解釈ですね。

信田　大きな夢を描いているからこそ、結婚できないんだと。それは、知的水準の高い女性にとくに言えることかもしれませんね。

上野　前からよくわからないことがあるんです。わたしは結婚契約をこんなふうに定義しているんですよ。「自分の身体の性的使用権を、特定の唯一の異性に、生涯にわたって、排他的に譲渡する契約のこと」。どうして今の若者たちが、このような契約をする気になるんですかね。

信田　やっぱり強烈な幻想がなきゃできない。

上野　ですよね。でも、これを若い子たちに言うと笑うんです。「そんなこと、まじめにだれも考えている人いませんよ、とりあえずやるんです」って。だれも結婚を一生ものだとは思っていませんよって。

信田　そうだろうか。結婚は一生ものだと思っているような気もするなあ。

上野　そのへんがよくわからない。若者たちがどこまで本音を言っているのか。

信田　口にはしないけど、心の中では「結婚は一生もの」と思っているんじゃないでしょうか。とくに女のほうは、一生ものだし、性的使用権だと思っているのではないでしょうか。

結婚の快感と陶酔

上野　わたしが不思議に思うのは、他人の身体に対して、自分がそれを管理する資格があるとか、支配する権利があるという感覚をなぜ持てるのかということ。相手がその身体をどこかで使ったときに、「よくもわたしを裏切ったわね」とか言って相手を責める権利が自分に発生すると、どうして思えるんだろうか。どうしても理解できない。

信田　わたし、すごくわかる。

上野　全然わからない。教えて。

信田　だって、「わたしのもの」だもの。

上野　どうしてそう思えるの？　もう異人種の外国語を聞いているみたいに、それぐらいにわからない。だって、制度の空洞化を生きているんでしょ。

信田　そりゃ、いろいろあるさ。

上野　でも、逆も真だから、自分の身体についても、相手が権利を持っているということになるのよ。

信田　自分はいいの。でも、ひとにはあげない、わたしだけが持っている。

上野　どうしてそう思えるの？

信田　思えるんじゃなくて、感じるんですよ。「このわたしが、こんなにあなたを思っているんだから、言うことを聞けよ」って感じ。資格とかじゃなくて、支配感覚なんです。

上野　恐ろしい。

信田　恐ろしいでしょ。

上野　おぞましい。

信田　おぞましい。でも、それは相手だって喜んでいると思うわけよ。

上野　おお！　どうしても理解できない。

信田　ちょっと契約って感じもあるよね。

上野　だから、よくそんな契約を結べるよね。この世の中には、わたしには理解不可能なことをやっている人たちがたくさんいる。

信田　結婚はそういう契約だもの。だから、それがいつも言うように、ロマンチックラブイデオロギーですよ。

上野　今の若者たちは、結婚前に複数の恋人と付き合っていながら、その上で、そういう排他的な契約関係に自ら選んで入っていくというのがわからない。

信田　きっと、収まってしまうことが楽なのよ。もう何も考えなくていいからです。おそらく、「もうこれでいい」みたいな楽さがあるんですよ。選択肢がなくなることの安楽があるんじゃないでしょうか。

上野　自由からの逃走。

信田　そう。自由からの逃走ですよ、きっと。

上野　でもそのあとで、内部で煩悶（はんもん）したがるじゃないですか。「結婚後に恋愛はあるか」とか、「夫婦の間にエロスは回復可能か」とか、信じられないような自縄自縛、自業自得の煩悶をしている。前提を外せば、煩悶する理由もなくなるのにねえ。

信田　結婚というのは、ロマンチックラブイデオロギーを信じなければ、スタートできないと思うんですよ。

上野　でも、儀式ですから。見合いで結婚する人もいますし。

信田　恋愛結婚だとロマンチックラブイデオロギーは必要です。それが何らかの契機をへて、ロマンチックラブイデオロギーを脱していくんです。脱して、空洞化に入り、儀礼家族になるという感じでどうでしょうか。

上野　その中を生きてきた子どももまた同じ契約に入っていくのが、ますますわからない。自ら、入りたいと思うわけでしょ。

信田　とくに女性は、結婚というステップによって、その先の人生が保証されたという気持ちになるんじゃないでしょうか。そこに性的使用権をたった一人に移譲するという意識があるのかどうかはわかりませんが、「わたし一人しかいないのよ」みたいな快感で倍増された結婚の陶酔、それに人生をリセットできるという幻想が重なって、結婚願望になっていると思います。

だけど、上野さんのように、他者の身体の使用権を自分が持つ資格はないと思う人も不思議議ですね。

上野　当然のことだと思うんですけど。

信田　観念的に言えば、そうよ。わたしだってそんな権利はないと思う。こんな話があるんです。摂食障害の娘を持つ母親は、娘に生理があるかないかをチェックする。それで「今月はありました」とか、「三ヵ月もないんです」などと言う。体重まで量る。それはおぞましいと思います。

上野　赤ん坊のウンチのチェックみたいね。

信田　母親が全部チェックする、コントロールするというのは、子どもの身体の使用権です。で、「太れ太れ」と言い、「よかったわねえ、生理があって」とやるんです。それを考えれば、上野さんの言う「他者の身体の使用権を持つことのおぞましさ」がよくわかる。でも、男女の性的独占っていうのは、ちょっと別だなあ。

上野　わからない。

「セックスフレンド」は仲のよいお友だち

上野　若い子に質問されたんですよ、「男女がいて、別居していて、たまに会って、ご飯食べて、セックスする。その関係を何て呼ぶんですか」って。で、わたしは、「それは仲のよいお友だちと言うんです」と答えました。会ってないときにまで、相手の身体の性的使用に関して権利が発生すると思ったときに、カップルとか、恋人とか、夫婦などという観念が生じる。自分の許可なき性的使用に対して、「裏切り」などと言ってなじる権利が発生するわけでしょ。わたしにはそれが理解できないんです。

信田　うーん、何で？

上野　だって、他人の身体でしょ？

信田　恋愛の「愛」という言葉の裏側には、拘束と所有の感覚がある。

上野　ということはですね、『愛情という名の支配』（海竜社、一九九八年）という著書のある信田さんにとって、「愛」は「支配」の代名詞以外の何ものでもないのでしょうか。

信田　そういうことですね。

上野　「仲のよい他人」で十分じゃないですか。たまに会って、ご飯食べて、セックスする。

信田　いつも一緒にいたいじゃないですか。

上野　毎日同じところに帰るが、毎日よそに出かけてもいるわけでしょ。毎日同じところに帰ってセックスするときもある、しないときもある。仲のよい他人、じゃだめ？

信田　相手が出かけると、「交通事故に遭ってるんじゃないかしら」「富士山が噴火するんじゃないかしら」「大地震があるんじゃないかしら」「あの人は死んじゃわないかしら」と思うんですよね。

上野　相手がいなくなると、自分の存在の根拠がガラガラと崩れるから？

信田　根拠は崩れません。でも、その人がここにいない間も、所有していたいと思うんです。

上野　じゃあ、こうしましょう。仲のよいお友だちにも「事故に遭ってほしくない」「病気になってほしくない」と思いますよね。たとえば、「今日は、学生時代のお友だちとご飯を食べてくるよ」「じゃ、楽しんでいらっしゃい」と送り出す。そのときに、「昔のお友だちと会ってセックスしてくる」って言ったらどうなの？　ご飯食べてくるのと、セックスするのとではどう違うんですか？

信田　わたしが答えるの？　……やっぱり身体性の問題ですよね。たとえば、セックスと、指を口に突っこむのと、どこがどう違うのかということかもしれません。

上野　やっぱりそこには、性という行為に対する過剰な意味付加があるんですね。「一線を越える越えない」は、それですから。ただ、セックスと結婚が分離されたと同時に、愛とセックスも分離されたわけですから。愛してない相手とセックスできるということは、たんなる常識にすぎません。

信田　セックスに過剰な意味付加がされた中で、わたしたちは五十何年も生きてきているわけね。

上野　ただ、社会学者はこう考えるわけです。「一つのことが歴史のある時点で始まったとすれば、ある時点では終わることもあるだろう」と。若者の場合は、愛と性を重ね合わせなくたって、セックスパートナーはいくらでもいるわけでしょ。
最近、新しい略語を学生から聞いたんですが、「セフレ」って言うそうですね。

信田　セックスフレンドのこと？

上野　そう。「セフレ、セフレ」って言うから、何のことかと思ったら、略語なのね。

信田　ただわたしは、そんなに簡単にいくかなあって感じがするんですよ。やっぱりそれは男女非対称だと思います。

たかが脱いだくらいで何が変わるのか

上野　実は、セックスへの過剰な意味付加が、性規範の緩みが目立つ若者たちの間にもネガティブに現れてきています。なぜ援交するかというと、セックスに対する過剰な意味付加があるからこそですよね。親の世代がそれをタブー化するからこそそれをやり、かつ、男たちが十代のセックスに過剰な価値付与をするからこそ、法外な価値が彼女たちに生じる。そして、その価値が一過性のものであることをよくよく熟知しているからこそ、彼女たちはその間の利益を得ようとしているわけです。
話をしたいと思ったのは、セックスと身体の価値が、いつからどのように変わってきたかということについてです。
「ａｎａｎ」が、「きれいな裸」の特集をしていました。「あなたの裸がきれいなうちに、有名写真家にその記録を撮っておいてもらいましょう」と。そしたら、ごく普通の、シロウトの女の人たちが、我も我もと脱いだ。読者のほうから「撮ってください」と言って、自発的に自分から脱いでくれた。その人たちがそれぞれ、ひとこと動機を述べていました。「若いときの記念碑を残しておきたかった」とか、「脱皮したかった」とか、「人生の転機を作りたかった」とかね。

　セックスに対する過剰な意味付加は、荒木経惟（あらきのぶよし）に写真を撮らせる女にも言えます。脱ぐことがなんでもないから簡単に脱いでいるのではなく、過剰な意味付加がされているからこそ、彼女たちは脱ぐ。「人生を変えたかった」とか言うけど、たかが脱いだぐらいで、なぜ人生が変わるとまで思えるのか。わたしは荒木の写真を見るたびに、「そうか。セックスに対する過剰な意味付加は、今でもなくなっていないのか」という、逆のおぞましさを感じます。

信田　なるほど。身体や性にまつわる行為というものは、そうやって社会的に意味づけされて、単に服を脱いで写真に撮られることさえ、ものすごく大きな人生の転機になってしまうんですね。

上野　援交もそうだし、AVに出ることを決意する女の子たちもそうです。お金が欲しいというのも一つの動機でしょうが、やっぱり「これで人生を変えたかった」とか、「吹っ切りたかった」とか言いますよね。でもね、そうしたセックスへの過剰な意味付加は、万古不易（ばんこふえき）、人類普遍だと思わないのですよ。

信田　そういう意味で、少女マンガというのは、それを飛び越えていると思います。過剰な意味付加が脱色されています。

上野　いつごろから気づいていました？

信田　一九八〇年代からです。最初に読んだのが、「あすかコミックス」というマンガで、鳥羽笙子さんの作品。とても画期的で、わたしにとっては、それこそ目からウロコが落ちるようなコミックでした。題名は忘れましたが、笑いながらセックスを楽しめるようなマンガでした。

上野　そういう感覚を持った世代はもう成人しているんですか？

信田　十歳、十五歳で読んでいた人は、今、それこそ三十代ですよね。

上野　うーん。でも今の三十代っていうのは、わたしの感じでは、すすんで荒木の前で裸になる女たちって印象だな。

信田　うん、だから、そういう意味では本当に股裂き状態なのでしょう。そういうマンガを読みながらも、一方では前世代の規範にとらわれている。
　ところでわたし、アラーキーの写真は嫌いなんです。

上野　気持ち悪いですからね。どうしてだれもはっきり言わないんでしょうね。荒木の前でわざわざ脱いで、写真を撮ってほしいと志願する女が大勢いるなんて。たかが脱ぐ、たかが性器をさらすということが、女にとってタブー視されるという過剰な意味付加があるからこその反動でしょう。

信田　たとえば、レイプや父親による性的虐待が傷になるとよく言われます。それを、あれは通りすがりの男が抵抗さえしなければ無事だと言ったからやったとか、パパが触ったただけじゃないかとか、そういうふうに考えたら、レイプも性的虐待も脱色されることになるんですかね。

上野　レイプには交通事故と思って「やりすごす」やり方があるのかもしれませんが、インセスト（近親姦）は信頼を利用した権力の濫用だから、もっと深刻でしょう。

第四章　男の「愛」とセクシュアリティ

男が語る自分のセクシュアリティ

上野 このところ、若手の男性研究者たちが、ボク自身の経験を語るという形で自分たちのセクシュアリティを語り始めました。

信田 わたし、それに関する川柳を作りました。「社会学、〝僕〟を主語にしたら臨床社会学」。臨床社会学の本を読むと、偉い先生が「僕は」という文章を書いていますが、あれを読むと、すごく胸クソが悪いんです。

上野 「僕」が嫌いなの?

信田 何を今さら、あなたは「わたし」を主語にしているのかと思うわけです。

上野 学術論文の中で「僕」が主語になったというのは、新しいトレンドなんですよ。

信田 それがトレンドだというのはわかりますが、トレンドに乗るというか、作るというか、それがすごくイヤだなって思うわけ。

上野 その気持ちはわかりますが、じゃあ「我々」だったら許せますか? もっと許せないでしょ。

信田 「我々」は昔からあったじゃないですか。

上野　だから、もっと許せないでしょ。だれをも指してないわけだから。まったく無責任な言葉ですよ。「僕」という一人称は、早い時期に男性作家が用いて、そのうち評論家も使い始めた。加藤典洋（かとうのりひろ）さんも使ってます。

　それって一人称の使い方だけが気に入らないの？　それとも語られる内容が気に入らないの？　森岡正博（もりおかまさひろ）さんは「わたし」と書きますよ。「僕」と言わない。

信田　個別があり、特殊があり、普遍があるとするならば、「普遍」にいた人が突然「個別」に降りてきたふりをするという、詐欺（さぎ）的行為を感じるのかな。あとは、「その個別のことを僕は知っているんですよ」「ここから出発しなければいけませんよ」みたいなことを言っているようにも感じる。彼らがどうして「僕」「わたし」を使ったのかということが、その文章を読んでもリアルに感じられない。その必然性がないと感じるんです。

上野　「アディクションと家族」（日本嗜癖（しへき）行動学会誌）で、男のセクシュアリティの特集をやったときに、森岡さんや、中里見博（なかさとみひろし）さんに書いてもらったでしょ。彼らは「我々」は使わない。森岡さんは「僕」ではなく、「わたし」を使ってます。

　二〇〇二年に日本女性学会が、「ポルノグラフィの言説をめぐって」というシンポジウムをやったんです。男のスピーカーを三人引っ張り出して、一人が森岡さん、一人が沼崎一郎（ぬまざきいちろう）さん、もう一人が風間孝（かざまたかし）さん。彼らはそれぞれ一人称単数でしゃべりました。それは必然性があるんですよ。たとえば、森岡さんは「わたし」を主語にして「なぜ私はミニスカに欲情するのか」みたいなことを書くわけです。そうすると、ミニスカに欲情するしないは個人差があるので、それはもっぱら彼自身のことを書いているから、一人称単数を使う必然性があるんです。

そういう意味で、セクシュアリティの当事者性ということを考えると、初めて男が自分のパーソナルな経験を「わたし」という一人称で語りだしたと言えます。

これはわたしの実感ですが、セクシュアリティについて女の言葉で語りだそうとしたときに、女にはセクシュアリティを自分の言葉で語ってきた経験がないから、したがって語る言語がない。自分の性器さえ、男の手あかまみれの言葉で呼ばねばならず、男と同じように性行為も「オマンコする」と呼ばなければならないというジレンマに陥る。こういう中で、はたと気づいたのですが、男が語ってきたセクシュアリティの言葉はすべて「我々」という無人称の言葉だったんです。そこで、男が「僕」や「わたし」という一人称で語りだす以前は、男たちもほんとうにしゃべりたいことをしゃべってきたわけではなかったのではないかという印象を、強く持ちました。

最近では、避妊なきセックスについて、「わたし」を主語に語りだした男性もいます。男が避妊なきセックスをする。それを「わたし」がするときには、いったいどういうときかということを書いているんです。相手を大事にしていれば避妊なきセックスはしない。ところが無責任な相手にはする。しかもそのときには、ある種の攻撃性が込められているというふうなことを、「わたし」という一人称で語っているんです。考えてみたら、今までそんなことを、男から聞いたことがなかった。そうか、そうだったのか、という新鮮さがあって、このトレンドをわたしは好意的に見ています。

信田　そうすると、セックスに関しては、個別的な「わたし」発言はなかったということなんですね。

上野　男にはなかったんじゃないかというのが、わたしの疑惑です。

信田　もちろんそんなの、女にもなかったわけですよね。

上野　ただ、女が語り始めたときには、「我々」とか「わたしたち」っていう言い方をしなかったわけです。女たちは最初から「わたし」を主語にしゃべってきたから。

男の場合、猥談にも共通のコードがあって、その中で「おれはそのようには思わない」とは言えなかった。性豪を競い合うというのも、性の覇権主義の中で共通の言語があって、それに同調しなければ猥談は成立しません。実はそれ以外に男は「僕自身」については語ってこず、語る言語も、語る機会もなかったのではないか。

男のセクシュアリティのコード化に関していうと、「なぜ私はミニスカに欲情するのか」で森岡さんが書いているのは、男だということがはっきりわかっている女装の男のミニスカに、自分がそのときムラッときてしまった。ということは、ジェンダー認知と、欲望のあり方が連動していない、ということを告白するのです。彼はそれ以上踏みこんだ分析をしてないんだけども、「ふーむ、なるほどね」と思ったのは、女の身体は、実は身体でさえなく記号なのだ。だからこそ、男は女が裸になりさえすれば、だれに対しても欲情できるんだということ。

そのときにも、そういう男とそうでない男がいるわけでしょ。たとえば、どんな女とでもセックスできる男というのは、女を完全に記号に還元してしまう、ある種のフェティッシュな装置を自分の中に持っているということになる。

信田 それ、持ってない男もいるわけ?

上野 持ってない男もいると思う。

信田 でも、そういう装置を持っている男が男性を代表するから、持ってない男は黙らざるをえなくて、個別性については沈黙してきたわけですかねえ。

上野 そう思う。

古すぎる男たち

信田 竹田青嗣が、「小説トリッパー」(二〇〇二年秋季号)で東浩紀と対談しています。その中の一節で、「家庭を持つと、自分という単位が妻とか子どもに広がる」「家族が自己アイデンティティに重なる」と言っているんです。

上野 なぬ?

信田 それって、自我の延長ってことでしょ?

上野 竹田青嗣がそう言ってるの?

信田 そう言ってるんですよ。それを読んだときね、すごくイヤな気持ちになったんです。

上野　うん、うん。

信田　「妻は、あんたの自己アイデンティティに重なりたくはないだろう」って思ったんだけど、それを堂々と対談でしゃべっている。そういう感覚って、良識的な男性と言われる人たちと話していても感じることがありますね。

上野　それは古すぎるわ。あんまりだ。江藤淳以前よ。竹田青嗣って、以前からヘンだと思ってたけど、やっぱし。ヘンというより、あまりに通俗的なんですよね。伊藤整が「男にとって家族は自我の一部みたいなもので、妻を殴るときにはやっぱり自分が痛いんだ」みたいなことを言ったときに、伊藤整は文壇の大長老だから、若いときの江藤淳が控えめに、「それって結局、自分がかわいいっていうことじゃないんですか？」と言っているのね。

だから、妻を殴るのは、男の自意識の中では、自傷行為の延長。実際、わたしの知り合いの夫がそう言ったと聞いたことがある。「君を殴るとき、僕の心が泣いているんだぁ」って。だけど、「痛いのはあんたじゃないだろ」。

それにしても、竹田青嗣は古い男だね。

信田　わたし、その一節に思わず線を引いてしまった。

上野　その場で、反論はなかったの？

信田　全然。東が「僕は子どもを持ったことがないからわかりませーん」とか言ってました。

上野　東もカマトトねえ。それにしても竹田には、そんなことは言うにはばかることだとか、口に出すとヤバイという配慮もないのね。実際には対談の場で口にしたとしても、活字になるときに削ればいいのに。今どきそんな発言が、公的な場に出てくるというのは、とても信じられないわ。竹田青嗣とわたしたちとは同世代のはずです。わたしもすぐさま、竹田の妻と子どもに逆インタビューしてみたいな。

信田　「妻として、あなたは夫のアイデンティティに重なりたいと思っているのか」と聞いてみたらって？　わたしだったら、他者のアイデンティティに自分が重なっているなんて、考えられませんけどね。

支配と慈(いつく)しみは裏表の関係

上野　信田さんの説によると、「支配する」ということと「慈(いつく)しむ」ということは、裏表なんですね。

信田　そうです。ペット化するということですから。

上野　ペット化することで、自分と同等ではないことがはっきりするから。

信田　「目を細めて妻を見る」なんていうのは、そういうことですね。

上野　竹田青嗣のおぞましい発言で思い出した。わたしたちの世代って、ヒッピーみたいな人がいっぱいいいたでしょ。そういう人の中にネパールに行った人がいるの。それが、

『ヒマラヤの花嫁』（日本交通公社、一九七六年）という手記を書いてる。
　ずっと、ヒッピー同然でヒマラヤで暮らしてきた三十過ぎの男が、自分より十歳以上も年下の現地の若い娘から「お兄ちゃん、お兄ちゃん」と慕われる。周囲から「お前、あれだけ慕われているんだから結婚しろよ」と言われて、その気になって結婚したの。そして、新妻を伴って日本に帰ってきた。
　それが彼にとっては、長い長いモラトリアムからの自立の契機なんですよ。妻を慈しみ、庇護しながら、初めて男として成熟してゆくというイニシエーション（通過儀礼）が、成長のストーリーとして描かれる。周りも、その男の成長と女のひたむきで無垢な愛とを見守る。女の子は、夫一人を頼りに日本という見知らぬ国にたった一人でやってきたわけですから……。

信田　これしか頼るものがいませんと。

上野　そうそう。それを周囲の人々が支え、励ますという感動のストーリーになってるの。おぞましくて、ゲロが出そうよ。信田さんのお得意の言葉で言えば「強制収容所」状態。逃げも隠れも脱出もできない家族という強制収容所に、自らけなげに入っていく若妻を閉じこめておくことと変わらない。言葉ができないということは、社会的には強制収容所ですからね。看守にしかすがれない。その場合、暴力的な看守だろうが、慈しみ深い看守だろうが同じことです。
　そういう庇護する存在を一人抱えたときに、この男は初めて「僕はしゃんと生きていかなくっちゃあ」とモラトリアムを脱する。男の成長の物語が、このようなものでしかないのかと思ったときに、「お前のヒッピー体験は何だったんだよ、お前はいったい、放浪から何を学んだんだよ」と言いたくなってしまう。それが感動の物語になっているのが、実におぞましい。

信田　『ペール・ギュント』もそうじゃないですか。わたし、あの音楽は好きですけど、物語がイヤなのね。ペール・ギュントは各地を放浪して、最後には、彼を待ち続けて目も見えなくなった妻が一人で竪琴(たてごと)を弾いているところに帰ってきて、「お前はおれを待っていたのか」と言って終わります。あれを読んだときに、「何だ、このくだらない話は」と思ったのよ。

こんなに都合のいい話ってあるもんですか。どんなにひどい男にでも、最後に一人の女がついているなんて、そういう物語にすがってしか生きられない男って何なんですか。自分より弱い劣位の性があっての自分だ、みたいなことでしょう。真に依存しているのは、男じゃないかと思ったりします。

上野　そのとおりよ。復縁殺人にしても、依存していたはずの女がさっさと自立していった。それがどうしても許せない。だから究極の所有として殺害するということなんですね。

信田　ヒマラヤの話は、出産と同じですね。女もそうじゃないですか。

上野　それはどういう意味でしょう。わたし、東（浩紀）君と同じく、「産んだことないからわかんなーい」。

信田　わたしたちのところにくるクライエントでも、「子どもを産まない女なんかに何がわかるのか」と言う人がいます。

上野　ええ、わたしはしょっちゅう言われてます。

信田　わたし、それを聞くたびに腹が立つ。じゃあ、あんたは男の小児科医の言うことをなぜ信用するのかと言いたい。男はだれも子どもを産んだことなんてない。偉い小児科の先生の言うことは聞くくせに、なんで女にだけそんなことを言うのかと。それでね、「出産は、あなたとどういうご関係があるんですか」と聞くと必ず言うの。「子どもを産むということが、どんなにわたしを成長させたか」って。

それは、今おっしゃった『ヒマラヤの花嫁』みたいなまったく無力な存在を産んで、「わたししかいないのよ」って言いながら女は成長するという物語を、女自身が作っているんでしょう。

上野　「子どもでも産まなきゃ成長できなかったのね、あなたは」と。

信田　それは、その人をそのまま表している。子どもを産んだということしか、達成がないんです。

上野　まあそうですけど、個人のそういう信念を支える、母性という強固な文化的コードがありますから。「女は子どもを産んで初めて一人前」というね。

性的虐待、加害者の謎

上野　清水ちなみさんの『お父さんには言えないこと』（文藝春秋、一九九七年）という本の中で、学校の教師と公務員に、驚くほど、娘に対する性的虐待者が多い、と彼女は分析していました。

　彼らはまず、金がない。それで、よそで女を作るほどの社会的、経済的な甲斐性がない。

　二つめには、自分の体面を傷つけることを非常に恐れる。つまり、小心者である。

　社会経済的な力量がなく、かつ体面を重んじる立場にある男が、最もイージーに性的にアプローチできる対象で、決してノーを言わない存在、それが娘だという。わたしは深く納得したんですが、実にわかりやすい。明晰ですね。その明晰なところに、また信田さんにノイズを発していただきたいんですが。

信田　もともと性的虐待についてはすごく謎が多いと思っています。臨床的な経験の中で、わたしなりに明晰にしていきたいと心がけているんですが。その中で、最も茫漠としているのが、性的虐待者の像です。彼らには、性的アプローチという意識がないんじゃないかと思うんです。

上野　そんなことないと思うよ。だって、ジュディス・L・ハーマンの本『父-娘』（誠信書房、二〇〇〇年）にも出てくるけれども、加害者は、決まって娘にこう言うの。「このことは決して人に言うんじゃないよ。とりわけお母さんに言うんじゃないよ。家の中がめちゃくちゃになってしまうから」って。

信田　そういうことを言う人は、まだ自覚的ではあるけれど、それすらも言わない人もいる。

上野　じゃあ、バレても平気なわけ？

信田　というか、娘は言わないに決まっていると思っている。

上野　ほんの三つか四つの子どもが、「お母ちゃん、お父ちゃんが、おまんまんになんか突っこんだあ」って、わーって泣いて言ったりしてもいいわけ？

信田　禁止は三歳でわかるのよ。

上野　たしかにわかる、三歳でわかるよ。言行ともにわかる。

信田　それはお互いの間に発生する、言語化できない、密約みたいなものだと思う。「これは言っちゃいけないよ」と言ったとたんに、逆に、お父さんは言っちゃいけないことをやっている、ということが明示的になるじゃない。父が禁止したとたんに、それは、すでに確信犯であるということですよ。

上野　「家の中がめちゃくちゃになるよ」と言うのは、脅迫じゃないですか。だから、共犯関係を強要するんですね。

信田　それはいかにもアメリカ的なわかりやすさを伴った逸話なんですが、日本の場合、被害を受けた人のいろいろな話を聞くと、父親はそんな言葉も言いません。逆に言葉にされていないことの苦しみを、ずっと抱えるわけです。

上野　それが何だったのかは本人にもわからない？

信田　わからない。

性欲とは無関係

信田　たとえば、十六、十七歳になって、母親のお葬式の席で、「お父さんたらね、ここに勃起した性器を押しつけてイヤなの」と言ったとたんに、親戚一同がサーッと青ざめて、そのときに初めて、父の行動がヘンだったということに気づいた女性がいます。それまでは、日常の延長と思っていた。

上野　ちょっと待って。密約と言うならば、言語化されていないにしても、禁忌の意識は被害者の側にあるんじゃないの？

信田　いわゆる社会常識の範囲の行為、それと禁忌の行為、そのいずれにも属さない行為として、宙に漂っているような経験なんです。

上野　だとしたら、お葬式でそういうことを口に出すということは、たとえば「お父さんたらさ、人の前で鼻くそほじくるのよ」と言うのと同じような調子で言うの？

信田　彼女はそういうふうに言ったんでしょうね。

上野　だったら、禁忌の意識がないわけじゃん。

信田　宙に漂っているというのは、禁忌の意識を持つようなものだったのか、持つようなものではなかったのかという、二者択一ではなく、そのいずれにも属さない奇妙な行動だと思っているわけですよ。

上野　だって、わけのわかんないクセを持っている人はたくさんいるでしょ。「お父さんたら、必ずお家のまわりを一周してからお家に入ってくるのよ」とかさ。

信田　それが性的な色彩を持っているということでしょ。

上野　お葬式でそれを公言した人のエピソードは、わたしにはちょっとビックリ仰天。ほんとに、「お父さんたらこんなヘンなクセがあるのよ」と言うのと同じ調子で言ったわけ？

信田　そのへんはよくわかりませんが、それまではだれにも言っていなかったのに、おそらく、ふと出てしまったんでしょう。お葬式は非日常的場面だということも関係しているかもしれない。

上野　それまでは言っていなかったんだ。

信田　もちろん。どういうことかというと、小さいころからしょっちゅうお父さんが布団に入ってきちゃ、触るわけですよ。インターコース（性交）はありませんが、触ったり、自分の性器を押しつけたりする人なんです。妹にもしたそうです。

上野　それを今まで言ってこなかったの？　たんなる家族の習慣で、「うちじゃあ、朝起きると鼻をこすり合わせるのよ」みたいなのと同じ？

信田　性的な習慣としてね。

上野　禁忌の意識なく？

信田　もちろん、そうでしょうね。「お父さんって、すごくヘンなことをするの」という違和感はあったけれど。

上野　だって、朝起きると鼻をこすり合わせるのだってヘンなことでしょ。違和感があるじゃない。

信田　だけど、性的ではないじゃない。

上野　だから、それらとあまり変わらないような行為として意識されているのか、それとも何かそこに線引きがあるのか。少なくとも、人に口外してはならない何かだ、という禁忌の意識があるのかどうか、と聞いているの。

信田　性的なことだから、あったんでしょうね。

上野　たとえ言語化されなくても、ある種の密約というか、人には言えないことだと。

信田　ええ。それで、その父親はその場でどうしたかはよくわからないけれど、いまだに生きていて、いろいろなカウンセリングを受けた彼女は父親に、「お父さん、ああいうことをしたじゃない」と言いました。そうしたとたんに、彼は「オレは親だぞ」と言うんです。「オレには覚えがない」とかね。

上野　ああ、ビックリした。「オレは親だぞ」「だから何をしてもいい」というふうにつながるかと思った。

信田　違う、違う、そこまでは言わない。

上野　そうだったら、教科書どおりの家父長制だ。

信田　「覚えていない」というような無自覚さ、当事者性のなさを考えると、わたしたちから見ると性的虐待であっても、彼らの意識の中では、犬や猫をかわいがるのと一種似たようなものではないかと思うんです。

上野　あなたが言ったようなケースだと、娘に対する性的虐待は幼児期に集中し、第二次性徴期、いわゆる物心がつき始めるとアプローチがなくなるそうですね。

信田　多くはね。だけど、中学生まで続く場合もある。妊娠可能になるまでという場合もあります。

上野　あなたは加害者に当事者意識がないと言ったけれども、第二次性徴期に性的虐待が減るということは、少なくとも、自分のアプローチが性的なアプローチであることは、加害者は自覚しているということですよね。

信田　性的なアプローチだということはね。でも、虐待だとは意識していない。虐待の当事者性がないということです。

上野　性的なアプローチだということはわかる。そのことは、娘にも感受されているということね。

信田　うーん、そうね。

上野　性的なアプローチが、浮気とか、愛人を作るというところに向かわずに、娘に向かう、ということに対して清水ちなみさんが与えた解釈は、とってもわかりやすい。娘は抵抗しない、ノーを言わない、自分の所有物である。

信田　そういうふうに言い切れるのかな、と思うんだよね。たしかに性的なアプローチなんだけど、「外でできないからうちの娘」という、外ですることとの対等なオプションとして、娘を考えているのかどうかというところがね。

上野　権力や金で女を調達できないから、最もハンディで、イージーで、手元にある娘をということではないんですか。甲斐性があれば、よそでやっていたんじゃないの。

信田　わたしには、そこがいま一つピンときません。そんなものではないんじゃないかと思う。外に愛人がいてもやるだろうしね。自分の子どもだからやるんだと思う。たんなる性欲の発散の相手ではありません。性的虐待は性欲ではないですよ。

上野　そうね、レイプも性欲からじゃないですからね。

信田　上野さんが『発情装置』（筑摩書房、一九九八年）で書いたように、「たまったら出す」というような、そんな男の、ヘンな神話ではなく……。

上野　なるほど、それはわかった。

「たまれば出す」という神話

上野　マスターベーションについての解釈も、このところ、セクシュアリティの研究の中でパラダイムが転換してきました。明治以降、約一世紀の間、一貫してマスターベーションは「相手のあるセックスの、貧しい代替物」だと考えられてきたけれど、そうではないと言われるようになってきた。マスターベーションと、パートナー付きのセックスはまったく別のもので、どちらかがどちらかによって代替されるものではない、と。
しかも、経験研究のデータからはっきりしたのは、パートナーがいる人ほど、マスターベーションの回数が多いということ。相手のあるセックスの回数が多い、つまり、インターコースの回数が多ければ多いほど、マスターベーションが多い。要するに、性的なポテンシャリティの高い人は、すべての面でポテンシャリティが高いという。言われてみれば当たり前のことがわかった。

信田　質量一定の法則が外れたということですね。

上野　そうです。「性欲というのは一定の量があるから、たまれば出す」というのが神話であったことが、非常にはっきりとわかったんです。

信田　それに毒されているのは男自身だよね。

上野　毒されているのではなくて、言い訳に使っているだけよ。

信田　金のない、体面を守る男がイージーに娘を、というのは、その論理にからめとられていると思う。

上野　とてもよくわかった。たしかにね、ニキ・ド・サンファル（フランスの女性造形作家）のケースを見ると、父親は貴族で銀行家なの。だから、金があろうが、地位があろうが、他に女がいようが、娘に対する性的アプローチは、それとは別のものだと思う。
ニキは奔放な色彩豊かな作品で有名なアーチストだけれど、初期は男に対する憎悪がむき出しの神経症的なアートを作っていました。七十歳過ぎて書いた自伝で、初めて自分が父親から性的虐待を受けていたことを告白した。それを言うために、半世紀以上かかったのよ。

信田　だから娘に向かうということは、やはり何か特別なものがあるんじゃないでしょうか。それをずっと考えているんですけど、そこがわたしの中で曖昧(あいまい)なんです。

上野　もし妻が所有物だとしたら、妻以上に、もっと究極的に、自分に属するものが娘よね。自分に属する究極の異性。

信田　うん、息子にもやるからね。つまり、ビロングというか、所有という関係でしょうね。そこに行き着くと思うな。「所有物に対して」だから、多くの場合は無自覚なんですね。

上野　なるほどね。所有者、支配者であるから、当事者性すらないわけね。

支配の刻印

上野　近代の性的なパラダイムのもとでは、所有と支配を、最も象徴する行為は性的な行為だから、殴られたのと、挿入されたのとでは、支配の記号性が違うわけよ。だから、挿入したら「お前はオレのもんだ」と言ってきたわけね。

信田　信じられないよね。何で、「オレのもんだ」って思えるんでしょう。ホントにバカかと思う。

上野　女のほうも、挿入されたからといって、「わたしの一生に責任とって」と言ってきたわけだから。

信田　ということを最も熟知しているのは、やはり男の側であって。

上野　それはそうだ。自分たちに最も都合のいいロジックを利用してきたわけね。

信田　所有の痕跡を残す、というんですかね。わたしは、「かわいがる」という言葉自身がすごくイヤです。「溺愛する」も。まさに、所有の痕跡を残すということですから。

上野　そうよ。わたしの父親もそれだったもの。

信田　上野さんはきっとそう言うだろうと思って、わたしは言ったんですよ。

上野　そのことを、ガキのころからずっとおぞましく思っていた。三歳のころからそう思っていましたね。それだけでなく、ガキはずるいから、父の力をカサに着て、コントロールしているんですね。だから、誘惑者としての娘のスキルを三歳のときから身につけたわけですよ。

　こういうことって、パパが生きているときには、やっぱり言えなかったわ。亡くなってくれてありがとう。やはり父が読むかもしれないと思うと、言えないもんね。

信田　生きているうちは言えないよね。

上野　性的アプローチって、ほんとに支配の刻印ですね。わたしの世代の男たち、団塊の男たちというのは、それ以前の父親の世代よりは子育てに関与していましたが、ちょうど少子化の先兵の世代なんです。子どもは二人まで、の世代ですから。その同世代の男で、娘を持っている何人かがね、三歳か四歳の娘を抱きながら、「こいつの処女を奪うやつは許せーん」「ほかの男にやるぐらいなら最初にオレがやってやる」というような発言をしたのを思い出すと、おぞましいですねえ。

信田　そんなの、イエローカードですね。「はい、コレ、性的虐待!」とか言って。

所有以外の愛し方を知らない男

信田　男たちは、所有する以外の愛し方を知らないのでしょうか。

上野　そうだと思う。でも、それを愛情だと思って公言してるわけですよ。

信田　それを叩きつぶしてやりたいね。「お前ら、所有なんかできん」って。

上野　だけど、女だって所有する以外の愛を知っているんですか。

信田　だけどね、所有不可能だということを知っていてやっているのと、所有できると思っているのとでは違う。

上野　女の場合は、男を所有できなくても、子どもは所有できるでしょ。だから子どもに向かうんでしょ。子どもは所有できると思っている。

信田　所有できると思っているね。だから、母が子どもを所有すると思っていることと、父が子どもを所有すると思っていることとは、同じなんだけど、父のほうは、性的刻印を残すことで所有するということですね。

上野　なるほどね。やはり、性という行為は、コミュニケーションの中で特別な行為だと見なされてるんですね。実は、コミュニケーションでさえないんですけどね。

信田　そうです。一方的です。父親が勃起した性器を娘に押しつけるという話も、父親は、「そんな記憶はないな」って、その行為に対する記憶が全然ない。

上野　記憶がないの？　しらっぱくれてるだけ？

信田　わからない。それは謎ですよ。

上野　しらっぱくれてんのよ、そんなの。

信田　というふうにわたしは思いたいですが、もし、しらっぱくれているとしたら、いささかの「ウソをついている」という感じがピシッと走ったりもしますが、「ヘッ？」っていう感じの人もいる。加害者が、加害行為を容易に忘却することは、本当に多い。きっと、自覚せずにやっているからね。たとえば、わたしがブドウを食べるとして、これがだれかほかの人のブドウだったら、「食べちゃいけない」と思うから覚えているけど、何も考えずに食べたら、覚えていないことと同じようなもんじゃないですか。

上野　「あ、わたしのもんだと思ってたあ」っていうのが多いのね。家族を「自己の一部だと思ってたあ」って、竹田青嗣が言うように。

信田　そうそう、自我の延長。だから、勃起した性器を娘にこすりつけるのは、「この娘はオレのものだ」と思ってやっている。

上野　オレの娘、だからやるんですよ。まさに、所有する以外の愛を知らないんでしょうね。「娘をかわいいと思えばこそ」と思っているんですよ。

信田　父親は「かわいがっている」と思ってる。それが、娘を抱きしめるという形ではなくて性的なアプローチであるのは、所有の極限だからですね。

上野 あとは「殺す」という所有ね。

信田 ああ、そうね。殺しとセックスですね。DV（ドメスティック・バイオレンス）の復縁殺人の話なんかは、まさに両方ですね。セックスできなくなったときに殺すということでしょう。

上野 性と死ですね。

信田 もし関係を取り戻したら、またセックスするわけですよ。「オレのもんだ」って。「こんなにオレは、お前を愛してんじゃないか」というふうに言うんだろうね、きっと。

上野 それをほかの言葉に言いかえれば、「こんなにオレは、お前に執着してるんだ」「こんなにオレは、お前を支配したいと思ってるんだ」となる。それを「愛してるんだ」と、女のほうも錯覚するんですね。

信田 自動翻訳機か何かを置いといて、夫が「オレはお前を愛してる」って言うと、「オレはお前を所有したいんだ」と翻訳されるとかね。そういうふうにしたらいいね。

所有を愛と取り違える女

上野 ジェンダーの病について言うと、所有する以外の愛し方を知らないのが男だとしたら、所有されることを愛だとカン違いし、取り違えている女たち、これも文化の刷りこみですね。

メキシコで、中産階級の女たちがフェミニズム運動で、DV問題を取り上げる。メキシコは、むちゃくちゃDVの多いところなんです。ところが、共感が得られない。とくに低経済階層の女性の間で。それで出てくるセリフが、「殴ってもくれないなんて、この人、わたしを愛してないのかしら」。所有されることが愛の証、というコードができあがっているんですよ。

今の日本の若い女たちも、自分を拘束したり縛ったりする……たとえば、自分の行状を事細かに聞いて、だれとどこに行くかなどと干渉する、そういうことをしてもくれないほど、この人はわたしに関心がないのかしら、などと言う。やはり、拘束されること、所有されること、縛られることを、愛の証だとカン違いするようなコードが、女の側にあるでしょ。

信田　うん。岸田秀さんが訳した『マゾヒズムの発明』（ジョン・K・ノイズ、岸田秀・加藤健司訳、青土社、二〇〇二年）という本がありましたね。マゾヒズムって一種のゲームで、資本主義社会になっていった近代社会が文化的に強いてきた、関係のパロディである、と書いてあるんです。つまり、上野さんがおっしゃったように、拘束され、縛られ、緊縛されるということが、愛の証だという文化の、いわゆるドミナント（支配的、優勢）な言説のパロディとして。

上野　とてもわかりやすい説明ですね。

信田　そういう本を読んで、ああ、なるほど、と思いました。男たちがそれを利用して、縛られたり殴られたりして喜ぶんですね。

上野　あれは、ドラァグ・クイーン（drag queen　女装の男性同性愛者）と同じですよ。パロディが過剰になるとドラァグになります。

一九八〇年代以降、いわゆる性の自由化と複数恋愛が始まって以降、ライトSMが若いカップルの間で流行ってきたというのは、なんとなくわかりますね。絆を確かめる儀式みたいな。

「色町の女将」と「耐える妻」

信田　それにしても、男はいいよね。愛人に親を介護させたりするしね。
上野　というのもあるみたいですね。
信田　正妻にさせないでね。正妻はそれで「よかったわあ、愛人がいて」。
上野　石坂浩二の離婚騒ぎでしょ。あれは何なんですかね。
信田　信じられない。バカ丸出しです。
上野　男がバカ丸出しなのは前からわかってたからいいんです。だけど、若い女のほうが……。
信田　嬉々としてやる。
上野　だって、「この人は親を介護してくれそうだから選んだ」と言われたら、「侮辱だ」ってどうして思わないんですか？　ひどい話よねえ。それで、「浅丘ルリ子には介護させられない」って、何なんだよなあ。

信田　「この女はオレのもの、元気な子どもを産んでくれそうだ」と思って結婚する人もいるみたいだし。最近、つくづく思うのは、どうも男性はね、女性を人間と思ってないんじゃないかということ。

上野　え？　最近ですか？　じゃあ、今までは人間扱いされていると思ってたの？

信田　佐野眞一が書いた石原慎太郎の伝記があるでしょう。そこで、石原慎太郎のお父さんが樺太でいかに儲けたかっていうようなところで、小樽の色町が出てくるんですね。あそこは坂の街で、上から順番に経済階層が連なっていて、最底辺のところには朝鮮人とか売春婦とかがいっぱいいる、ということを書いてるときの、その書き方に、ひどく居心地の悪いものを感じたんですよ。女は女としてとらえられていて、人間としてとらえられてないなあって。それがひしひしと伝わってきたんです。出てくる女はみーんな、「女将」とか、「耐える妻」です。

上野　歴史的に見ればそれはもう、明々白々でしょう。このところ信田さんは、佐野眞一の石原慎太郎伝といい、竹田青嗣の気持ちの悪い対談といい、気持ちの悪い男の本ばっかり読んでるんですね。

信田　偶然、そうなんです。

上野　男の気持ち悪さの研究に乗りだしておられるのかと思いました（笑）。

はい。女は人間のうちに入ってないんですよ。

信田　わたしは、これまで、女を人間扱いする男を嗅覚(きゅうかく)でかぎ分けて接してきたのかもしれない。それとも名誉男性の末端に位置して、そういうのは見ないようにしてきたんでしょうか。

上野　でも、あなたの前に現れる女はそうではない。

信田　女？

上野　クライエントですよ。信田さんは気持ちの悪い男をちゃんとよけて通ってらしたとしても、よけきれなかった女があなたの目の前にいらっしゃるわけでしょ。

信田　もうそれは、怒り心頭でございます。

上野　今の話を聞くと、自分はそうじゃなかったと、クライエントとわたしは人種が別だと思っておられたのかな、と。

信田　それは、論理的な帰結としてそうですが、そうじゃないんですよね。そんなに単純に割り切れるものではありません。一見そういうふうには見えない男たちの言葉の中にも、女を人間扱いしていない部分があるということに最近気がついたんです。カウンセリングでわたしのお会いする女性たちの夫はどうしようもない人たちで、それはごく一部のヘンな男だと思ってましたが、どうもそうではないらしい。

上野　文学作品を読んでたら、わかりますでしょう。吉行淳之介(よしゆきじゅんのすけ)なんか読むと、ほんとにおぞましい。わたしは思春期のころ、あんなのを読まされていたんですよ。だから復讐(ふくしゅう)戦で『男流文学論』（上野千鶴子・富岡多恵子(とみおかたえこ)・小倉千加子(おぐらちかこ)、筑摩書房、一九九二年）をやったんです。

信田　ああ、イヤだ。ほんとにおぞましい。

第五章　去勢しないかぎり、暴力は続くのか

日本語訳のないDV

信田　マスコミのDV（ドメスティック・バイオレンス）事件の扱い方について、わたしの憤懣（ふんまん）やる方ない思いを言っていいでしょうか。

上野　はい、どうぞ。

信田　まず、例として二つのDV事件を紹介します。一つは横浜で起こった事件（二〇〇二年）。夫のDVに耐えかねた妻が、子どもを連れて実家に逃げたところ、夫が実家に押しかけて、妻の両親と子どもを殺し、妻を連れ回すという事件がありましたね。

もう一つは群馬で起きた事件（二〇〇二年）で、児童相談所が父親の暴力から子どもを保護したのですが、母親もDVを受けていることがわかって、母子一緒に保護しました。それで夫は、妻子が自分の前からいなくなったことにいら立って何か大きい事件を起こしてやろうと、女子高生を拉致（らち）して殺してしまった事件がありました。

どちらも、妻がDVを逃れて避難し、夫がその妻を取り戻そうと狂奔（きょうほん）してとんでもない事件を起こすというものでしたが、いずれも新聞には「DV」のDも出ない。

上野　出ませんでしたか？

信田　それは全部、「家庭内暴力」と「虐待」です。

上野　日本の新聞社では、「ＤＶ」というアルファベットの用字用語を採用してないと思います。そのかわり、「ＤＶ」という言葉を、「家庭内暴力」と「虐待」に置き換える用語集みたいなものがあるんでしょう。

信田　そういうふうに、夫からの暴力を「家庭内暴力」と「虐待」で表現するという申し合わせがあるとしたら、そのこと自体が、わたしはすごく問題だと思います。「家庭内暴力」という言葉が登場したときは、思春期の子どもが親にふるう暴力のことを指していたんです。

上野　「夫からの暴力」って言ってもだめなんですか？

信田　だめ。それを読んだ人が、たとえば「夫の暴力」って言ったときに、「親が子どもを虐待する」のと「夫が妻を虐待する」のと、それは同列であると解釈する危険性はありませんかね。つまり、親から子どもへの暴力と、子どもから親への暴力と、夫および親しい男性から女性への暴力は、明らかに区別すべきだと、わたしは思っているんです。

上野　言葉づかいが問題なのですか？　それとも叙述の仕方が問題なのですか？

信田　両方ですね。なぜかっていうと、その男が妻を殴るという加害者性が、虐待とか家庭内暴力と表現することで、脱色されてしまうんじゃないかと思うんです。

上野　わたしは平均的な読者とは言えないので、わたしの感触といっても代表性はないですが、新聞記事では、男の暴力で妻と子どもが逃げたってことは、ハッキリ書かれていました。それは誤解の余地なく書かれていたと思います。

信田　ただそれを、「ドメスティック・バイオレンス」というふうに呼ぶことには一つの意味があったわけじゃないですか。

上野　でも、ＤＶという言葉が、アルファベットのまま略称として通用していること自体、日本語としてはまことに嘆かわしいと思うのですが。それをドメスティック・バイオレンスとカタカナでしか言えずにいる現実は、情けない。なぜそれを適切な日本語に置き換えることができないのかと。

信田　言葉がないがために、今まであった既成の「家庭内暴力」と「虐待」という言葉に回収されてしまう。なぜ日本語に置き換えることができないできたのですか。

上野　研究者の怠慢のせいです。

信田　ぜひ言葉を作ってもらいたいですね。

上野　ＤＶ防止法の正式名称は「配偶者からの暴力の防止及び被害者の保護に関する法律」、通称「ＤＶ防止法」。

新聞社には社内用語集というのがありますが、これにようやく「セクハラ」という言葉が登場しました。それまでは「性的いやがらせ」とか「いたずら」と言われていたのですが、「セクシュアル・ハラスメント」、略して「セクハラ」という用語として定着しました。

信田　女性の法律家の人たちは、男性、つまり夫から妻への暴力を、きちんと表現する用語を、作らなければならないですね。

上野　研究者たちは、DVを「夫や恋人からの暴力」と訳して使い続けてきました。これが今のところ、流通しているたった一つの訳語です。「恋人」をずっと入れてきたんですが、それが、「DV防止法」の正式名称でも、「配偶者」としか書いてないでしょ。これに対してフェミニストからは、既婚者への配慮しかないという批判が出ています。「恋人から」を落としてはいけないんです。

信田　そりゃ、そうだ。

公的介入は可能か

上野　さきほどおっしゃった二つのケースは、「復縁殺人」というタイプですよね。つまり、逃げた女を追いかけ、復縁を求めて殺害にいたる。これは、夫婦に限らない。内縁関係、同棲（どうせい）、恋人でもある。要するに逃げた女を逃がさない。逃がすくらいなら、いっそ殺してしまおうというのが復縁殺人です。

　復縁殺人は、異性間の殺人の中で一番多いタイプなんですよ。しかも圧倒的に男が女を殺し、逆はほとんどない。

信田　圧倒的に男が女を殺すんだけど、男からの殺人と定義しているわけではないですよね。

上野　「浮気」という言葉もそうです。用語それ自体がジェンダー化されてしまっていて、「男の」というのはもはや与件なんです。女が浮気市場に参入したのは、社会現象としては新しい現象ですから。

　復縁殺人もそうです。女性からの復縁殺人は、ほぼ考えられないですね。ゼロとは言えませんが、考えにくいです。女性が起こす殺人事件としては、三角関係のもつれなどの痴情事件が多いのですが、女は去りかけた男を刺すよりも、相手の女を刺すケースが多い。

　だから、男と女とでは非対称性があるんですよ。「復縁殺人」は、ジェンダー非対称な用語として使われてきたと思います。そうすると、今おっしゃった二つのケースの、どこが新しいのだろうっていうことなんだけど。

信田　妻が夫から逃げるというとき、たとえば、実家の両親や子どもが殺害された横浜の事件では、女性センターが関与しています。群馬の事件の場合も児童相談所が関与している。公的機関が援助の対象としているにもかかわらず、被害者保護が一定のレベルまで達していないんじゃないかと。かりに達していたとしても、そのときに、復縁殺人の可能性が考えられれば、加害者の行動を制限するような何らかの法的なアプローチが必要じゃないかということです。

上野　「公的な介入」は、信田さんのかねてからの説ですよね。じゃあ、どのような法的根拠によって介入するかというと、今、言ったのは、予防拘束という法理ですね。

信田　拘束というよりも、妻に会いたがっている夫の欲求をうまく使うことはできないだろうかということなんです。「どうして妻子を自分から離すんだ」と夫が言ったときに、「奥さんにお会いになりたいですよね」と言って、妻に会うには一定の条件があるとする。たとえば、「第三者の介在を条件として、一対一では会わないようにする」とか。「奥さんの逃げた動機は、夫のあなたからの暴力だと聞いている。その暴力についてあなたはどう考えているか」というように話をして、それで「三ヵ月くらいたったら、奥さんと第三者を交えて会うような機会を設定しましょう」という形を、DVの加害者更正のプログラムに導入することはできないだろうか、と考えています。

上野　今のところ、精神障害者の強制入院みたいなのを別にすれば、すべての社会的な援助は、当事者の自己申告があって初めて行われるシステムになっていますね。

信田　でも、DVの場合は、自己申告するまで待っていて間に合うのかという問題もあります。

上野　被害者保護に関して言うと、被害者が傍目にはとても信じられないような仕打ちにあっていて、それをだれにも自己申告しないとしたとき、第三者が出ていって、「甚大な被害であるから、あなたはこれを被害だと認知して、ここを去るべきだ」と関与をする権利があるべきだと、そう考えます？

信田　それについては、まず無理でしょう。

上野　そうでしょ。やっぱり被害者の保護は、まず自己申告ですね。加害者プログラムというのも、加害者の自己申告となるんじゃないでしょうか。

信田　ただ、加害者は当事者性を持っていないわけですから、自己申告はしません。

上野　妻に会うためには、本人から「妻に会いたい」と自己申告があって成立するというのが自然でしょ。それを、第三者が夫のもとをわざわざ訪ねて、「あなたは奥さんに会いたいでしょ」と言いに行くようにはなっていませんよね。

信田　公的機関が間に入った場合、妻が相談をしていた公的機関に、夫は当然、クレームをつけに行きますよね。夫が妻子に去られて困っているということを訴える。そのときが、「当事者」として登場する最初のチャンスじゃないですか。そのときに加害者プログラムを導入するという働きかけがなければ、今後もこういう事件は増え続けるだろうと思います。

上野　もう一つのやり方としては、妻を保護した時点において、刑事介入するという手はあります。要するに傷害行為ですから、刑事告発するという方法です。そうしなければ、暴力行為をやっている人間を市民社会に放置することになってしまいますから、介入せざるをえない。

信田　それはあくまでも、初期の介入ですね。それにしても、どうしてＤＶにそういう動きが起こらないんでしょう。

上野　市民社会に関係することじゃないからでしょう。

信田　家庭内で起こっていることだからですか。でも、一連の事件からもわかるように、公的機関に妻が逃げても、刑事告発をきっかけにして加害者の教育に入っていくとか、そういう術を多くの援助機関は持っていないように思うんですね。

上野　そうです。信田さんがおっしゃっているのは、法理で言うと、「統制」なのか「援助」なのかということになります。両者は根本的に違うんです。援助であれば、自己申告がなかったらやらない。統制だったら、自己申告がなくても第三者が判断できます。

信田　ただ、当事者性を持たない人を援助することにおいては、統制も援助の視野に入れていかないとね。援助の場に絶対に現れない人たちに何もアプローチできないとしたら、ほんとにそれこそどうしようもないでしょう。

上野　だけど、援助の場に現れない人を、当事者の意思にかかわらず、首に縄をつけて引っぱってくるわけにもいかないでしょう。ほんとは「こんな危険な者を市民社会にのさばらせておいてはいかん。たまたま特定の人だけに暴力が向けられているとしても、それは市民社会における犯罪であるから、統制の対象となる」というのは、法理としては成り立つはずなんですけどね。

統制か、援助か

上野　加害者の「統制」なのか、加害者の「援助」なのか、どちらかによってすごく違うと思うのね。

信田　わたしは、それはまったく同じだと思うの。

上野　「援助」即「統制」っていうのは、カウンセリングをやっている人の特殊な考え方かもしれません。

信田　統制を利用していくのが援助だと思う。統制からしか加害者援助は始まらないからです。

上野　まず、「それは本当に同じものなのか」という疑問が一つ。もう一つ、「加害者援助は技法としてありえて、かつ効果があるのか」ということ。二つめの問いはどうですか？

信田　わたしは効果があると思いたい。

上野　実際に臨床で効果が検証されていますか？

信田　わたしの個人的な経験ではありますが。

上野　アメリカでは、それが「ない」という方向にいっていませんか？

信田　そんなことはないと思います。ちょっと話が飛ぶようですけど、薬物依存者の治療と重なるんです。アメリカにはドラッグコート（薬物犯罪専門の裁判所）があります。つまり加害者が違法薬物を常用している場合、刑事罰を受けるかわりに治療に移行する。それと同じようなことが、わたしはＤＶの加害者にも必要だというふうに考えているんです。

上野　治療的強制ってやつですよね。実際に、効果はあるのですか？

信田　アメリカ、カナダでは、さまざまな方法が試みられていますが、現時点では決定的に有効だといえるようなプログラムはないようです。ですが、日本でもDV先進国の経験をとり入れて、近いうちに試行が始まるようです。

上野　非常に興味があります。男はどんなふうに変わっていくんでしょうか。

わかりやすい男性支配の象徴

上野　復縁殺人は今に始まったことではなくて、ずーっと続いてきたことなんですよ。あまりにも陳腐な、ありふれた事件です。ただし、新しい現象としては二つ要因があると思います。公的機関が何らかの形で関与しているにもかかわらず、事件を防ぎ切れなかったっていうことが一つと、もう一つは、復縁殺人が報道されるときに、これまでは、「逃げた」とあるだけでしたが、最近は「暴力から逃げた妻や恋人を追って」と報道されるようになりました。女が逃げた理由が男の側にあるということは、報道記事に、ハッキリ書かれるようになりました。

信田　なるほど。わたしは、DVと書いていないのはけしからんと、それだけをずっと思っていた。「夫の暴力で」ぐらいじゃ足りないんじゃないかと思っていたんですね。

上野　あなたは過激な人だから。マスメディアはそこまで追いついてないんですよ。「夫からの暴力」という言葉にあなたが怒っているように、フェミニストたちは、「性的いやがらせ」とか「いたずら」という言葉がセクハラを非常に軽く表現してしまうということに、ずっと異議を申し立ててきました。ですから、「夫からの暴力」という言い方が軽すぎて、読む側に「たかが夫からの暴力ぐらいで簡単に逃げるなよ」くらいな印象を与えるかもしれないという、そういう懸念(けねん)は理解できます。

ただし、逃げた側には逃げる理由があったんだということは、ちゃんと書いてある。かつては、復縁殺人には、男を作って逃げたという報道もありました。

信田　これまでのマスコミが、ひどかったんですね。

上野　ひどかったと思います。復縁殺人はもうほんとに陳腐な事件です。男女間で起きる殺人事件の、一番ありふれたパターンです。

信田　そうするとほら、昔の歌にあったでしょ。「逃げた女房にゃ、未練はないが」……。

上野　とんでもない、未練だらけですよ。信田さんは非常にすばらしい発言をなさっていましたね。「どうして夫は愛する妻を殴るんでしょう。それなら、〝愛する〟はやめましょうね。自分の妻だから殴るんです。他人の妻は殴りません」。名言ですね。

復縁殺人に象徴されるものはそれです。逃げた女を究極的に所有する手段が、殺すということです。非常にわかりやすい男性支配の象徴です。

信田　ほんとにそう思う。

「紳士的な男」は「紳士的な軍隊」

上野　ＤＶの分析をやっていけばやっていくほど、普通の「男らしさ」や「愛」の概念の中に、支配や所有の観念が含まれていて、「殴る男と殴らない男がほとんど地続きで差がない」という結論になりそうですね。

じゃあ、すべての男を去勢するほかＤＶは防げないのか。軍事力を持っているアメリカに、武器を使わせないようにするのは不可能だ、というみたいですね。「紳士的な男」には、「紳士的な軍隊」と同じぐらいの背理（はいり）がある。それは、男性性の中に支配と所有が埋めこまれているからでしょうか。

信田　ほんとにそうなんだけど、その説明だけでは、ネバネバしたものが落ちてしまうような気がする。

上野　そこは事例に即して、しつこく解きほぐしてください（笑）。

信田　「絶対に殴らない」という禁止を自分にかけて結婚する男もいるし、あとは、殴りはしないけど、暴言や性的な強制をする男もいます。

そういえば、「手を上げる」という言い方があるでしょ。

上野　信田さんが選者をなさった『日本一醜い親への手紙』（クリエイトメディア編、メディアワークス、一九九七年）の中には、「お父さん、わたしの彼は、わたしに一度も手を上げたことがないのです」という、忘れがたい言葉が出てきますね。

信田　「手を上げる」ってすごい言いかえだなあ、男たちは「殴る」って言わないんだなあ、と。「手を上げる」というのは、加害者側の言葉ですよね。

上野 そうねえ。上げたら普通は振り下ろすわけですから。それを「手を振り下ろしたことはないんですよ」と言わずに、「手を上げたことはないんですよ」と言うのは、婉曲語法ではありますね、たしかに。

信田 そういう言い方で暴力がずっと語られてきたことに最近気がついて、巧妙な仕組みだなあと思いました。

上野 それはそうね。買春を売春と言いくるめるとかね。

信田 それと同じことですね。

上野 それからセクハラを「いやがらせ」「いたずら」って言いかえるとか。「いたずら」なんて最低よね。

信田 「痴漢」は、「痴」じゃないしね。

上野 「性犯罪」ですね。

今のお話でとてもよくわかるのは、社会学者というのは、やはりマクロの傾向に目を向けて一般化する傾向がある。女の中に、女性性へのアンビバレンスがあるという定式化をしてしまうと、一方では説得力があるんだけど、もう一方で、個別の事例を説明できなくなるのが社会学者のネックなんです。似たような環境に生きながら、この人は摂食障害になり、あの人はならなかった。その違いを言うことによって、個というものが立ち上がってくるわけです。

信田　多くの心理学とか精神医学はそこだけをやっているんです。なぜこの人は殴り、なぜこの人は殴らないかということを、殴る人の生育歴に起因するとせず、衝動コントロールが悪いとか未成熟とかね。さっき上野さんがおっしゃった「殴る男と殴らない男、地続きですよねえ」とか「去勢するしかありませんねえ」という視点は皆無です。

上野　個人の中にすべての原因を還元してしまうという、個体完結主義ですね。これは心理学者の悪弊ね。個体還元説の一番の極限は、器質障害説ですね。あとは薬でおさえこむとか。

信田　男を、殴る男と殴らない男で考えたとき、やっぱり殴る男がドミナントだったわけですよね。殴ることが男らしさの象徴だというようなことがあったわけでしょ。殴らない男はこれまでは黙ってきたわけですね。

上野　少なくとも、殴る男が非難の対象とならずに許容されてきた。

信田　「殴らない男はなまっちょろい」「女房なんか一発ぐらいぶん殴ってやれば、言うことをきくんだ」ということですね。

上野　「女房一人、思いどおりにできなくて、何の男か」っていう言い方がありますね。

信田　野村監督がサッチーのことで言われたようにね。「女房の監督ができなくて野球の監督ができるか」みたいなのがあったもんね。

上野　女を一人、絶対的な所有物として自分の支配下に置くということが、男性が一人前であることの条件になっているんですね。

信田　「男一人ぐらい言うこときかせられなくて、何の女か」は、ないのかね。

上野　女の場合には、「男に選ばれないお前は女として無価値だ」っていうことになる。ちなみに、殴らない男には「男のくせに女を殴るなんて」発言がありますが、それは、絶対的な優位に立つ者には、暴力のような下等な支配手段は必要ないということです。そういう男を古い意味での「フェミニスト」と呼ぶけれど、男が絶対的な優位にあれば、暴力などという粗野な手段を使わなくてすむというだけのことでしょう。

男としての根幹を揺るがされ

信田　暴力は関係性ですね。ＤＶの問題も、殴られた痛みではなく、その瞬間の夫との関係ですね。

上野　そうだと思う。そのときの男の攻撃性に対する恐怖心のほうが、トラウマとして残る。たとえば、戦争で脚を失ったり、銃創とか、そういうケガを負った人だって、そのときの痛みというのは、そんなに長い間記憶に残ってないんじゃないかな。古傷がうずく、みたいなことを言うけれども。だから拷問なんかも、肉体的な痛みの記憶そのものよりも、恐怖に対する心理的トラウマでしょう。

信田　恐怖とか、突然の豹変に対する驚愕とか、そのときの記憶ですね。

上野　謎が解けた。東京都のＤＶ調査で、「次のものはＤＶにあたります」といってあげられている中に、「精神的暴力」「言語的暴力」「身体的暴力」の三種類があって、その中で、「これは絶対に許容できない」「場合によっては許容できる」と思うものはどれかというふうに聞いているのね。わたしが、あれあれ？　と思ったのは、殴る、蹴るよりも、精神的暴力の中で、「妻が大事にしているものを壊す」というのがあって、こちらのほうが絶対に許せないという女性が多かったの。場合によっては、殴るほうがまだまし、という答えが多かった。そこで、わたしはね、「カラダよりモノが大事なのか」って、短絡的に思ったわけ。

信田　ああ、なるほどね。でも、そうじゃないんですね。

上野　加害者の男は狡猾ですからね。妻が何を大事にしているかということをよく知っている。何が妻に対して侮辱になり、攻撃になるかということを、何よりも知悉しているから、実家の母の形見とか、そういうものを壊すんでしょう。身体の痛みより、そちらのほうがこたえるのでしょうね。

信田　ＤＶを「健康問題」とするアプローチがあるんですよ。助産師さんや保健師さんの雑誌を見ると書いてあります。たしかに、骨は折れるし、鼻はゆがむ、耳は聞こえなくなる。だから健康問題なのか。でも何か一つ足りないと思ったんですよ。今の身体記憶ということに限って言うと、やっぱりそれは、きわめて強靭に回復するし、忘却する。

上野　そうそう。だから生きていられるのよ。

信田　ＤＶというものは、そのときの状況とか、相手との関係性によって、心的外傷になるわけですよね。

上野　心理学が心理還元主義だとしたら、DVを健康問題だという医療関係者は、悪しき身体還元主義ですね。ということは、その人たちにとっては、身体に痕跡(こんせき)が残らない限り、暴力はなかったことになるんだ。

信田　「女だって男を殴るじゃないか」という言い方は腐るほど聞きます。じゃあ、男の身体に傷が残れば暴力になるかということですよね。女が男を殴ったって、男は何の恐怖もない。「ペットが噛(か)んだ、ペットがじゃれとるわい」「おお、生意気な。おれにたてつく気か」みたいな感じですよ。そこには恐怖も驚愕もありません。非対称です。

上野　男の感じる恐怖は、女が逃げる恐怖ですね。自分の支配下にあったはずのものが、そうではないという自己主張を始めるのがいちばん怖い。

信田　そう。支配を脅(おびや)かすということよね。つまり男はおびえて女に暴力をふるう。何におびえるのか。逃げることにおびえるというのは、これはかなりあとの段階です。だいたいDVの被害者って、夫以上に弁が立つ。だから、彼の論理の脆弱(ぜいじゃく)さを突いたり、彼の論理の不備なところを指摘したりすることで、暴力が喚起されるわけですよ。それを上野さんがおっしゃったように、「権力とは状況の定義権である」と表現するなら、まさに状況の定義者としての男の根幹を揺るがされるおびえじゃないですかね。

上野　なるほど。脆弱な男性的アイデンティティが揺るがされるわけね。

信田　脆弱な男性的アイデンティティっていうよりも、「おれが法律だ」とか、「おれは正しい」と思っている男は、とりあえず「そうよ、あなたの言うとおりよね」と言ってほしいのに、「でも、おかしいわよ」「いや、わたしはそう思わないわ」みたいなことを女が言ったときに、カーッとなるわけじゃないですか。……あ、そうか。やっぱり脆弱だ。

上野　だから自分の支配権を脅かすっていうことでしょ。

信田　性質（たち）の悪い男は、支配とは思ってない。正しいことなのよ。

上野　そういうのを普通、支配と言うのよ。

信田　いやいや、彼らはそんなふうには思ってないし、彼らの論理でいけば、妻は「自己アイデンティティに重なる」んだからさ。

上野　竹田青嗣（たけだせいじ）はその言葉で、ズバリ妻を自分の領土と言いたかったわけでしょ。「お前の肉体は自分の領土だ」ということでしょう。「お前の肉体も精神も」ですね。

信田　それはわたしたちからすれば支配だけれど、彼にすれば恩寵（おんちょう）なわけでしょ。男性は、妻が自分に逆らったときに、すごい被害を受けたと思うんだよね。つまり、自分の期待どおりに妻が応えてくれず、期待どおりの行動をしてくれなかったことに彼らはひどく傷つき、傷ついたということを自覚する前に殴る。

上野　当事者の言説によると、夫自身が被害者だっていうことになるの?

信田　そうです。男たちはみんな被害者。

上野　あっそう。「自分は被害者だ」って言うのか。

信田　言います。被害者という言葉は使わないけど、「妻に原因がある」と。

上野　ちょっと待ってね。その言い方をしたとたんに、妻の優位を一瞬でも認めることになるから、そのことによって、男のプライドは傷つかないの？

信田　被害者ということが、妻の優位を認めることにはならない。むしろ責任は妻にあるのだと言い、自分は正当化されるんだから。だって多くは、「僕は妻のことを思って家庭を築いてきたのに」というような言い方をするんですよ。手が込んでいるんです。ストレートに、「僕の支配に妻は従わなかった」なんていう、芸のないマッチョな男はあまりいない。

上野　「あいつが逆らったからだ」という、単純なのはないわけ？

信田　もちろんそういう人たちもいるとは思うんですけど、わたしがお会いした中には、いません。自分の暴力行為を、三分の一くらいの男が過小評価する。あとの三分の二は覚えてなかったり、否定したりする。それがわざとなのかは、わからない。

上野　選択的忘却ね。「あの程度のことを、妻は大げさに言って」みたいな。

信田　そう。「僕は苦労してここまでやってきたんです。それなのに妻が……」。

上野　やっぱりわたしには、脆弱な男性性に聞こえるわ。

日米開戦のロジックと同じ

信田　でもね、その「脆弱な男性性」というものが、今や売り物になるということも自覚しているわけよね。つまり、カウンセリングをするわたしが女だから。

上野　同情を買ってるの？

信田　というより、わたしに対して、自分がマッチョな男権主義的な男ではないということをアピールするわけよ。ですから、「脆弱な男である」「妻にこんなにも傷つけられた」「妻のほうが勝手である」ということを訴える。自分のイノセンス、自分の正当性を訴えるということになるわけですよ。

上野　暴力の正当性を訴えるわけね。

信田　うん。手段の問題ではなく、動機の問題であると。動機について、彼女に責任があると、こう言うわけです。

上野　ということは、ワンステップ変わったわけね。亭主が女房を殴って当たり前という問答無用の暴力ではなくて、暴力はもはや、正当化しなければならないものに変わってるわけだ。でも、たとえば、「どんな理由があっても、手を出すってやっぱり悪いんじゃありませんか」とは言わないの？

信田　言わない。それを言ったらカウンセリングに来なくなっちゃうもの。「ああ、そうか。やっぱり僕は裁かれてるんだなあ」と思ったときには、来ませんよね。「司法的介入」と「援助」の間(あわい)をこちらが持っていたりすると、だめなんです。彼は裁かれるために来るわけではなくて、自分がいかに正当かということを承認されるために来るわけですから。最初は承認しなきゃいけない。「そうですか。でもちょっとそれは、わがままかもね」みたいな感じで。

上野　同情してあげるのね。

信田　そりゃそうよ。そりゃもう、最初は仕方がない。

上野　信田さんのところにわざわざカウンセリングにいらっしゃるような奇特な男性は、インテリ男性なんでしょ？

信田　彼らは、妻から絶えず聞かされているわけですから、こちらの土俵を読んでいます。ですから、「自分がなぜ暴力をふるわざるをえなかったか、というところをわかっていただきたい。そこにいたるまでには、どんなに言葉で追い詰められたか。はっきり言って僕はね、言葉じゃ女房にはかなわないんですよ」と言う。

上野　ああ、なんか日米開戦のロジックとおんなじだ。

信田　さすが。そこへ飛びますか。「だからね、僕はね、聞いていてもおわかりのように、とつとつとしか話せないんです。それで僕がね、三、言う間に女房がね、十、言うんですよ。そしたら僕、かなわないじゃないですか。さらにたたみかけるように言われるんですよ。それでつい、いけないことなんですが、殴っちゃったりすることもあるかな」という感じですね。

上野　いけないことだって、一応言うんですか。

信田　言う。それは彼らの通行手形です。この通行手形を持ったら、彼らは強いですよね。

上野　わたしは、ナイフも暴力も、言葉の不自由な人たちの武器だと思っているんですが。

信田　だから、彼らが一種の言語障害者であるということを自分で認めたとき、これはすごいものがあります。そこで暴力を「仕方がなかった」という論理に持ってくわけですよ。

上野　言語障害者だと、自分で認めるんですか？

信田　一瞬ね。「じゃあ、言語障害者というわけですね」とわたしが言うと、「まあ、そんなもんですね」と言ったりするんですよ。

上野　そこまで踏みこんでおっしゃるんですか。

信田　わたしは言いますよ。

上野　じゃあ、「もう少しコミュニケーションスキルを磨かれたらいかがですか」とは言わない？

信田　それも言いますね。でも、「磨かれたらいかがですか」と言ったところで、磨く気になるかどうかは彼の問題ですし、磨く気になるには、ずいぶん時間がかかります。そこからすぐに、「じゃあ、怒りを表現するトレーニングをしましょう」とか、そんなふうにはいかない。

言語能力のある男も殴るという謎

上野　あなたの話を聞いていると、いろいろ連想が広がっていくわ。言語障害者がナイフや暴力に手出しをしないですむためには、わたしはもうごく簡単に「コミュニケーションスキルを身につけてもらいましょう」みたいに言ってきたんだけど、その前の段階として、なぜコミュニケーションスキルを身につけなければならないかという動機づけがなければ、だれ一人そんなものを自発的に学ぼうとはしないですね。

信田　そりゃそうです。

上野　その前提にあるのは何かっていうと、相手がコミュニケーションをしなければならない対象である、あるいはコミュニケーションに値する対象であるという他者認知なんですよ。もうちょっと言うとね、言語によるコミュニケーションスキルを身につけるための条件は、まず相手の言うことが、自分にとって「聞くべきものである」と思うことが重要なんですね。当たり前のことですが、相手の話を聞いて言語で返すということで初めてコミュニケーションが成り立つわけです。相手と自分がコミュニケーションを取り合う「対等な他者である」とか、対等でないにしろそういう関係にあるという認識がなければ、コミュニケーションスキルを身につけようなんていうモチベーションそのものが発生しないでしょう。

　ほとんどの場合、夫は「妻に言いこめられている」と言うようですが、女性の中から出てくるのは、「彼はわたしの言うことなんて何も聞いてないんです」というセリフです。たしかに男は女の言葉を、メッセージとしては聞いていないと思います。斎藤学（さいとうさとる）さんの言い方だと、「I am not heard.」ですよ。「I insist, I speak out, but I am not heard.（あんなに言ったのに、聞こえてなかったのね)」
たとえば、夫婦ゲンカをする、で、妻が夫に対して思いのたけをバーッとしゃべる。そうすると夫は、嵐が吹き過ぎるのをじっと待つように、悲しげな目をして、黙って聞いている。音声としては聞いているが、意味としては届いていないんですよ。
妻が言い募って、自分の怒りに疲れ果てて黙る。そうやって嵐が吹き過ぎるとね、悲しそうな顔をした夫が、「うまいものでも食いに行こう」と言う。これで何年もやってきた。それが我慢できなくなって、「離婚する」と言った女性がいる。そこでは、ケンカというコミュニケーションさえ成り立っていないわけですから。

信田　別の例で言えばね、二人で延々三時間も話し合うカップルがいます。一生懸命、「僕はこう思うよ」「でも、わたしはこう思うわ」「うん、そうだね」。その果てに殴るというのがあるんですね。それはどうなのかと。

上野　もしコミュニケーションというものがたんなるモノローグではなくて、ダイアローグであり、ダイアローグというものが交渉の技術だとするならば、そこでは交渉は行われてないということでしょ。ただモノローグが積み重なっているだけ。

信田　ただね、暴力というものにも、他者として認知してないところの暴力もあるけど、そうじゃない暴力もあるような気がする。

上野　とおっしゃると？　無理もない暴力ですか？

信田　いえいえ。つまりね、「僕たち、よく話し合うよね」と言いながら、延々と話し合っているうちに、だんだん話が煮つまってきて、それが発火点に達したときに、バーンと暴力をふるうということもあるんですね。彼らにも暴力の理由はいっぱいあるわけです。でも、なぜ最後に突然、殴らなくてはいけないのかというところが、わたしには謎なんですが。

上野　今の話を聞いていて思ったのは、煮つまっていくときに、攻撃性のテンションが高まっていくんじゃないですか。女の側もありとあらゆる言語手段を導入するでしょうから、最後にやっぱり相手の一番のアキレス腱(けん)を突きますよね。

信田　「自己アイデンティティに重なる」とつながるんだろうけど、「僕と妻はわかり合えるはずだ」という幻想が暴力を誘発するということがあるんじゃないかと思う。

上野　どうかしら。わたしはやっぱり、煮つまって、そこは触れてはいけない、という逆鱗(げきりん)に触れるというか、アキレス腱を突くというようなことではないかと思いますけど。

信田　うーん、どうなんだろう。話しても話してもわかってもらえなくて、その疲労が蓄積され、イライラが募り、それがもう我慢できなくなる。逆に言えば、男の側に妻に対する欲求があって、それは母親に対するような欲求で……。

上野　そのときに殴るのは、「僕と妻はわかり合えるはずだ」という相互の関係が、必ず男の勝利に終わらなければならないということでしょ。殴るというのは、相手を黙らせる最終手段ですから。

信田　いや、黙らせるというよりも、彼の中で何かが発露してしまったのかもしれない。

「言うことをきかせるために殴る」という単純なものではないという気がする。もちろんそれもあるでしょうが、しかし、それこそロマンチックラブイデオロギーの延長で、男の側もそのイデオロギーに侵されていて、外の世界でいろいろな人がいろいろなことを言うのはいいと思っている。ところが、特定の恋人や妻に対しては、「わかり合える」という信頼をおいていたとしましょう。「君の言うことはわかるよ。僕と君は本当に対等だし、お互いの言うことは理解し合えるよね」と言いながら、話しても話しても「わかってくれない」となったときに、何かに発火するというような暴力もあるような気がするんですけどね。

上野　あなたの念頭には、何か特定のケースがありそうですが。

信田　具体的なケースがあります。妻にも夫にも話を聞いています。夫のほうは「話し合いをもって善とする」という家族で育った人なんです。で、何があっても話し合う、夜を徹して話し合う。

上野　それでも、いつも最後に手が出ちゃうの？

信田　そうです。というより、だから手が出る。夜を徹して話し合うから、手が出る。

上野　そのとき、何かが発露するとおっしゃいましたが、それは何でしょう。それを「愛」と呼ぶんでしょうか。

信田　わたしは、呼びたくはないですよ。でも、彼は愛だと思っており、その愛に包まれた望ましき夫婦像に近づけないことに絶望して、みたいなことを言うわけですよ。もちろん自分勝手なんだけどね。だけどその暴力は、「自分の言うことをきかないから」とか、「他者性がない」という言い方では納得できない面もあるんです。それは妻に向かうこともあるし、壁や物に向かうこともある。キレるともう十五分くらいは壊しまくる。そういう事例と出合うと、万策尽きたあとの最後の手段のようにも思えるんですね。

上野 何の発露なんですか？　そんなことをやっても妻を取り戻せないし、ディスコミュニケーションも埋まらないし、事態は解決しない。一種のパニック発作なんでしょうか。

信田 パニック発作かどうかはわからないけど、「どうしていいかわからない」ということの表現かもしれません。

上野 言葉に不自由して身体表現にいくのでしょうか。

信田 うーん。

上野 相当言語スキルの高い人でも、いかんともしがたいのですね。

信田 そうです。コミュニケーション能力があって、自分のことをちゃんと言語化できる男性も暴力をふるうということです。

「カウンセラーのジェンダー」という問題

信田 他者認知をする以前に、男には「わたし」というものがないんじゃないかと思うんですね。他者認知をする「わたし」というものが空虚だからこそ、他者を他者とせず、妻を自分の延長に置くとか、そういうことが起こるんじゃないですかね。

他者認知をしなければいけないということはもちろんなんだけど、じゃあ、どうしたらいいかという問題は、実際にDVをふるっている男に対して、どのようにわたしたちが接触していくのかという問題と実はつながるんですよ。暴力をふるって妻に逃げられて、でも「僕は被害者だ」と言っている男には、「あなたはかわいそうな人である」ということを、こちらが承認することが必要だと思います。

上野　なるほどね。男に「わたし」がない、というのは卓見（たっけん）ですね。だからこそ一人称単数で文章が書けないのかも。彼は同情を求めているんですか。自分を正当化することと同情を求めるということは、必ずしもイコールじゃないと思うけど。

信田　正当化もするんだけど、かわいそうだとも思ってもらいたいんだと思います。

上野　突然ですが、それには、カウンセラーのジェンダーが関係しているような気がします。男のカウンセラーにはそのような態度はとらないかもしれない。

信田　ああ、かもしれない。

上野　あなたに対する彼らの策略ですよ。

信田　いいじゃない、策略に乗ったって。同情が必要なら、同情してあげますよ。

上野　カウンセリングのテクは、カウンセラーとクライエントとのジェンダー関係の組み合わせによって変わりうるということですね。

信田　変わりうる。

上野　同情を買うという行為も、女性のカウンセラーに対してだったら、彼らのプライドは脅かされずにすみますからね。
信田　ああ、なるほど。
上野　バーのママさんに弱音を吐く男と同じね。やっぱりホステスなのよ。
信田　そうだと思う。うっすらとは自覚していましたが、今はっきりと言語化していただいて、より一層自覚できました。
上野　つまりそこでは、ジェンダーのゲームの中でカウンセリングが行われているわけですね。
信田　カウンセラーが男性だったら、「わかりますよね、この気持ち」という感じで、「男だったらわかるでしょ」というアプローチをするんだと思う。
上野　きっと別の言説が採用されるでしょう。

殴り返すやつは殴らない

上野　他者認知についてですが、妻や恋人を他者として認知させるためには学習してもらうしかないようです。さまざまな人たちの経験や告白を聞きますと、妻が、「あなたの思いどおりにはならない他者である」というメッセージをつねに送り続ける。そういうノイズを送り続けることで、男を学習させていくというプロセスが、どうやら不可欠のような気がします。

ラカン派の精神分析学者の佐々木孝次がどこかで書いていたと思うけど、彼のフランス人の妻が、「わたしはあなたのお母さんじゃないわよ」というメッセージを一貫して送り続けたそうです。ということはつまり、お母さん扱いととられるような言動を男の側がしていたってことの裏返しの証明ですけどね。それはまさに竹田青嗣の言う「自我の延長」としての妻の扱いですね。

信田　イヤだねえ。

上野　「そうではないのよ」ということを繰り返し言って、同化を拒む妻。それは妻が外国人の場合には可能でも、日本人だと、たんに「わがままな女房」ということになる。

信田　それで暴力が出る。たいてい、自分の思いどおりにならない現実を突きつけられたときに、暴力が出ます。だからきっと、ＤＶの被害者の多くは、そういう女性なんですよね。非常に自己主張が強い。そして、ある現象を話すのに描写も巧みで、非常に論理的に話します。

不思議なのは、男たちが妻を殴ることを何とも思っていないのに、子どもを殴ることについては罪悪感を持っていることです。

上野　それはなぜでしょう。友人の男が言いましたが、「女房は他人、子どもは身内」って。

信田　それもあるかもしれないけれど、子どもは叩いちゃいけないが、妻は叩いてもいいというのは、何だろう……。

上野　逆の人もいるでしょ。子どもには手を出しても、妻には手を出さないという人。

信田　それはたぶん、子どもに対してはしつけと思い、……妻にもしつけだよなあ。

上野　その場合、歯向かわない者は殴るが、歯向かう者は手を出さないという、単純な話ではないですか？　それが証拠に、子どもを殴る男たちは、思春期になった男の子は殴らなくなるというではありませんか。息子が思春期になると、家庭内のパワーバランスが変わってくる。殴り返すやつは殴らないという、実にわかりやすい、卑劣なやつらですよ。抵抗しないやつだけ選んで殴っているからね。

信田　うーん。ただ、父に歯向かう息子になるとは限らないからね。戦線離脱って形で、母を殴り続ける父を見ないふりして育つ息子もいるよね。

上野　少なくとも、父親は息子を殴ることはしなくなるでしょう。

信田　それはたしかにそうで、ある日、歯向かったときからパタッとやみます。男同士っていうのは、実は単純でわかりやすい。

上野　清水ちなみさんの『お父さんには言えないこと』を読むと、父親からの暴力が続いてきた家庭には娘だけの家庭が多い。息子の不在という共通点があるような気がします。

信田　子どもだけ殴られるというのは何だろう。このとき母親は何をしているんだろうと思いますよね。

上野　子どもを産まなかった女は、かえって母性愛神話を持っていて、「子どもがかわいくないの？」と言いたくなるけど、そうじゃないのよね。

信田　今の発言はおもしろい。

上野　だって、言っていることではなくてやっていることで人を判断したら、やっぱり「子どもがかわいくないんだ」としか思えない事例が多すぎます。言いかえると、子どもより自分のほうがかわいい。だから自分を守るために、子どもを夫の暴力の盾にするし、性的虐待の犠牲（いけにえ）にもさし出す。母親だって自分のほうがかわいいんでしょ、はっきり言って。

信田　うん。こんなわかりやすいことを、日本では絶対言っちゃいけなかったんだから、不思議でしたねえ。みんな薄々わかっていたのに、絶対言わなかったんだから。

上野　ほんとですねえ。

第六章　結婚難民よ、どこへ行く

離婚すれば結婚帝国の難民

上野　素朴な質問なんですが、暴力をふるわれた妻はなぜ別れないんです？　暴力をふるう以外は、満足な夫だからなんですか？

信田　子どももいるしね。

上野　でも、それだと経済力とか生活条件のような外堀の条件で、女は逃げられないということになる。

信田　うん。妻たちは別れない理由をそういうふうに言いますよ。でも、そんなものはメインの理由ではありません。離婚のもたらす恐怖です。つまり自分が選んだ男性と築いた今の関係、妻という座から転げ落ちることの恐怖ではないでしょうか。

上野　それは信田さんがおっしゃるとおり、たんに一人の男を失うということ以上に大きな恐怖ですね。社会に自分が参入するための居場所そのものを失うのと同じ。

信田　ただ、それは、ほとんど言語化されていない。そこに、「孤独」という便利な言葉があるんですよ。「わたし、孤独なの」って。いくらわたしが、そういう夫から別れた妻のネットワークがあり、「一人の男と別れるだけで、友達が十人ぐらい遊びに来るわよ」と言ってもだめなんです。でも離婚できない本当の理由は、「孤独」という言葉では表現できないものだと思う。東大大学院の上野ゼミでもぐりで勉強させてもらって、それは「孤独」などではなく、言葉に表せないような巨大な何かだったんだということがわかりました。

上野　なるほどね。もし孤独が問題なら、そんなディスコミュニケーションの男と一緒にいる地獄のような孤独のほうが、すさまじいはずですよね。

信田　「孤独」という言葉で理解すると、だれもいないより、殴る夫がいたほうがましという論理になるんですが、そんなことはないと思う。

上野　おもしろいのは、「孤独」というと、一瞬、実存的に聞こえるんですよね。高尚な悩みのように聞こえてしまうんだ。

信田　そうそう。言っている本人をも慰撫（いぶ）する言葉なんですね。「わたしは、孤独を恐れているんだわ」という感じね。危険な言葉ですねえ。

ほかにも、いろいろな説があります。かつて自分に苦痛を与えた人から離れられなくなるというトラウマの絆（トラウマティック・ボンド）的な面もあるかもしれないとか。DVをふるわれても、「夫がなぜ殴るのか」という謎（なぞ）が深く刻印され、その謎が解けないかぎり夫からは離れないとかね。でも最終的にはやっぱり、「転がり落ちることへの恐怖」ということでしか、わたしは説明できないと思う。

上野　実際に、彼女たちは、男に選ばれて制度に入っていくことで巨大な恩恵を受けているわけですよね。

信田　ほんとにそうです。だからそれが失われるという状況は、言語化できないんです。なんか怖いという感じで足がすくむ。

上野　離婚した女たちはみんなさわやかに生きているとか言うけれども、社会的にはほんとに、よるべない存在ではありますよね。そして実際に、あからさまな差別とか、男からの性的なアプローチや侮辱（ぶじょく）にさらされますからね。

信田　そうですね。わたしは主婦の「難民化」という表現をしますが。

上野　ああ、すばらしい表現ですね。難民化というのはおもしろい。結婚帝国の難民なんだ。

結婚制度に参入しない選択肢はあるのか

上野　わたしは、ずっとこう言ってきたんですよ。家父長制の支配下に入らないために、結婚制度に参入しないという選択肢はあるだろうか。ないんです。女性はシングルであるということで十二分のペナルティを食らわされています。経済的にも社会的にも、アイデンティティの上でも、ありとあらゆる面で。そういう意味では、結婚制度に参入しようがしまいが、特定の男にくっつこうがくっつくまいが、いずれにしても家父長制の支配下に置かれていることになります。

これまでシングルの女性たちが受けてきたペナルティをずっと見てきたから、どの人もなだれを打って結婚していくんでしょう。

信田　三十代の女性になると、そのへんの意識はどうなんでしょう。

上野　三十代の女性の場合には、全体に、成熟が長期化しているという中で、モラトリアムというエクスキューズがあります。男の場合でもそうです。山田昌弘（やまだまさひろ）さんだって、パラサイトシングルの中に三十五歳までは入れる。「そのうち、いい人が現れたらね」の「そのうち」という繰り延べがきかない年齢になったときに何が起きるか、ですね。

信田　それで親の介護になだれ落ちて結婚しないでいく人は、けっこう多いですね。

上野　経済的には親の資産で暮らしていけるかもしれないけど、最後まで「子どもを産んだことのない、半人前の女」というスティグマ（汚名、恥辱）がつきまとうでしょ。そうなると、女性的なアイデンティティの「存在証明」を求めるために、男に性的な承認を求める東電ＯＬが現れても不思議はないですよね。親の介護を結婚しない理由にしたら、「かわいそうな女」の一丁上がり、です。娘には昔からいましたね。

信田　それをあえて引き受けて、エクスキューズとして生きるのも一つの道でしょう。

上野　もちろんそれも選択肢でしょう。けれど、アイデンティティ問題は片付かないですよ。

「CLASSY.」も「VERY」には負ける

上野　今は親に資産があって、親と子で利害関係が一致しているからエクスキューズが成り立っています。わりとリッチなシングル女性が、「CLASSY.」なんかにお母さまとご一緒に登場しますね。三十代の「お嬢さん」シングルで、ブランド品を身につけた……。

信田　でも、「VERY」には負けます。シロガネーゼには負けます。選ばれた女には負けるんです。結婚し、子どもを産んだという、「VERY」のあの勝利の快感。あの雑誌に満ちている「みんな手に入れたのよぉ」みたいな勝利の感覚はすごい。

上野　その勝利の感覚は、子どもが小さいうちは、まだ持続できるでしょう。「VERY」がポスト育児期になったらどうなるんでしょうか。そのときの目標は何になるでしょう。

信田　五十歳になっても美しく、ブランド品を身につけて、シワもなく……。

上野　だけど、そのときにはやっぱり、二つのキーワードが必要ですね。性的な存在承認に加えて「ナニナニちゃんの母」「ナントカさんの妻」に還元されない社会的な承認。たとえば栗原(くりはら)はるみとか木村治美(きむらはるみ)みたいに、趣味的なお仕事でひとかどの承認を受ける。日本絵本賞とか、日本エッセイスト・クラブ賞をもらうとかね。

信田　趣味が高じて、半分プロになりましたってやつね。そこにおいては、性は脱色されて、婚姻制度を壊すようなものも脱色されている。子どもがブランド幼稚園に入り、学校に入り、そのあとは趣味をやってセミプロになる。

上野　セミプロなのよね。プロになっちゃいけない。

信田　けっして夫を越えない。

上野　家庭を大事にしているということを売りにして、それが商品価値になる。森瑤子（もりようこ）が一時、主婦のカリスマだったでしょ。けっして家庭を壊さない。彼女は外国人と結婚していましたね。

信田　その夫が、ひどかったらしい。森瑤子の娘が本（マリア・ブラッキン『小さな貝殻――母・森瑤子と私』新潮社、一九九五年）を書いているんです。それ読んだときは、ほんとに「なんて男だろう」って思いましたね。瑤子に嫉妬（しっと）して殴り続ける。生活費は全部彼女に頼っていたくせに。でも、それがおもしろくなかったんでしょうね。マスコミが来ると、彼は設計士のふりをしなきゃいけない。もとをただせば、彼は放浪して日本に流れてきたところを森瑤子に拾われて結婚したんです。

上野　森瑤子の資金で、道楽でヨットの輸入会社を作ってつぶしたりもしているでしょ。

信田　暴力をふるわれて、塗炭（とたん）の苦しみだったらしい。だけどやっぱり、表にはいっさい出せずにいた。

上野　あれだけの経済力のある人が、それでも離婚しなかったのはなぜなの？

信田　そういう人が多い。

上野　それは「結婚を守る女」という商用イメージのせいなの？　彼女の場合はどうなのかしら。

信田　いやあ、わたし、そうじゃないと思うんですよね。

傷ついた身体でプライドを守る

信田　殴られている女の中には、経済力や社会的地位がある人もいっぱいいるんですけど、彼女たちは夫のもとに戻っていくのよねえ。

上野　そこをもう少し聞かせてください。そこは、信田さんの真骨頂（しんこっちょう）だから。逃げない女は自分のプライドをどのように支えているんでしょうか。どのような戦略で自分のアイデンティティを保っているんでしょうか。

信田　キーワードは「捨てない」ということです。その場合、主語は「わたし」ですから、「捨てない」と思うことで主体を奪回することができるんですね。

　彼女たちは、夫と別れると、自分が社会からこぼれ落ちてしまうということがよくわかっています。たとえ医者であろうと、弁護士であろうと、何億という貯金があろうと、結婚制度から降りたとたんに、たんなる一人の中年女になってしまう。それを意識の端にちょっとのぼらせたとたんに、「だって、わたしが捨てたらあの人はどうなるの？」と言う。「やっぱりわたし、あの人を捨てられない。だって見てご覧なさい、あんなにみじめな男で、ハゲちゃって」というように、わたしがあの男を選び、わたしが「捨てない」と選択し、わたしが男の人生行路を決定している、と思っているわけです。

上野　そういうアイデンティティのゲームの中に、自ら選択的に入っていくのであれば、吉澤夏子（よしざわなつこ）が『女であることの希望』（勁草書房、一九九七年）で言ってるみたいに、「個人的なことは個人的である」となる。ＳＭも合意の上なら問題はないですから。としたら、なぜあなたが彼女たちのために、わざわざ被害者性の構築をしてあげなきゃいけないの？

信田　別にしてあげなくてもいい。でも、その人たちは、夫の暴力をＤＶと定義したわけよね。そして、戻ったり逃げたりを繰り返し、さんざん迷いに迷った末、それでもまた戻っていくわけですよ。

上野　夫に殴られることによって、自分の自尊心はズタズタにはなっていないの？

信田　もうズタボロになっていると思う。

上野　ＤＶって、たんに肉体を殴っているわけじゃない。暴力というのは、恐怖ですよね。暴力で一番傷つくのは人格。肉体より、人格ですよ。

信田　それはわたしも言うんです。「それはあなたが腐っていくことです」って。するとね、泣きますよ。でも、泣いてもまた戻るんだよ、なぜか。

上野　なぜか、説明して。

信田　そこである種のアイデンティティの闘争というか、やっぱり主体を奪回したんです。その奪回したものを、自分のプライドの支えにして戻っていく。それぐらい、妻の座から落ちるというか、降りることの恐怖が強いってことだと思います。だから、せめてわたしは、なぜあの人たちが戻っていくかということを、徹底的に言語化したいと思っています。「戻ったらだめだから、いったん入院してください」といくら言っても、絶対に入院しないんですよ。彼女たちに言わせれば、プライドゆえに戻るんです。プライドという言葉の内実を、巧妙に変化させているんですよ。

上野　それなら、その人たちを救ってあげる理由はないんじゃないの？

信田　ない。わたしは、その人たちがお帰りになるのを見て、敗北感に打ちひしがれるだけです。どうしようもない。

離婚しない背景にあるパワーゲーム

上野　ＤＶで殴られる妻についての、あまたの説明の中で、わたしがいちばん納得できたのが信田さんの説明なんです。ほかの専門家たちは、恐怖によって無力化されているというふうにおっしゃるのですが、どうもピンとこない。わたしはずっと「ほんとにそうかしら」と、疑わしさを持ってきた。やっぱりその中に、選択とプライドのパワーゲームがありますよね。

信田　そう。彼女たちには、「自分の選んだ男でしょ」というのがあるんですよね。

上野　じゃあ、見合いだったらどうなるんですか？　もっと簡単に逃げますか？

信田　いやいや、見合いも結局、最後は自分が選択するというゲームになっているじゃないですか。そうするとね、自分がよかれと思って選んだ相手を見限るということは、その選択責任を果たしていないことになるという論理を持ってくる人がいるんですよ。自己責任。だからわたしは、「ここまでの自己責任を男は感じているのか」と思いながらも、「そうですかあ。でも、ヘンだと思うんですよ。その自己責任って、いまいちよくわからないんですが」と言うんですけどね。

上野　そこまで踏みこんだカウンセリングをされるんですか？

信田　ええ。

上野　「でもわたし、相談に来たのは、先生を納得させるためじゃありません」。

信田　そんな高級な暗い人はいない。上野さんなら言うでしょうが。そこでね、「うーん、なるほどねえ。で、あなたの夫はどうです？　そこまで自分の人生や結婚に対して責任を感じているんでしょうか」と言うと、「感じていません」と言いますよ。

上野　その方たちって、現実をよくご存じですよね。相手の男を、見誤ったりしてませんね。

信田　そのへんはリアルだと思います。

上野　でも、それがね、「かわいそうじゃないですか」というところまでくるんです。かわいそうだから捨てない。

信田　そこでまた、権力のゲームが逆転するんですね。自分が優位に立つのね。

上野　橋田壽賀子（はしだすがこ）のドラマを見るとわかりやすいですね。弱者が選択権を巧妙に奪回していくとき、相手を「かわいそう」「この人のために」と言って、嬉々（きき）としてもとの生活に戻っていく。わたしたちのクライエントは、あまり嬉々としては戻っていきませんけど。なんとなく後ろめたいような顔をして、スーッと消えていきますけどね。

上野　信田さんのところに、また戻ってらっしゃる方はいますか。

信田　皆無。よそに行きます。それは彼女たちのプライドだと思う。なかなか偉いもんだと思いますよ。たぶん、わたしには幸せに暮らしているという幻想を持たせて、その幻想を壊したくないんだと思います。

上野　カウンセラーとクライエントとのパワーゲームもあるんですね。

信田　それはあります。

子どもは身を守る手段

上野　夫婦間だけで暴力が完結していれば、別れないという選択も、まあ許されるでしょうが、それに子どもが巻きこまれた場合も、彼女たちの選択は変わらないんですか？

信田　逃げることをすすめる一つの理由として、わたしは、「あなたはいいかもしれませんけど、それを見ている子どもを考えてください」と言うんです。現にそういう家族って、いっぱい問題が起きているんですよ。息子がひきこもったり、娘が摂食障害になったり。「それでもあなたはお戻りになりますか？」と言いますね。そうすると、苦しげだけどね、「わかりました。でもわたしは、夫は変わるんじゃないかと思います」というようなことを言う。子どもを犠牲にするなと言いたい。

上野　母親たちの行動を見ていると、母性愛もへったくれもない。女は、自己利益を最優先にして動いているということが、そのことで実によくわかります。子どもがこんなに傷ついてると思ったら、その環境から助け出してやろうとは思わないのかしら。それは虐待につながっていきますけども、子どもの性的虐待だって、結局のところは、母親の黙認があるからこそ、ですね。

信田　人身御供（ひとみごくう）ですね。

上野　もしくは協力が前提で行われていますよね。ＤＶと子どもの虐待の関係について言うと、妻だけ殴って子どもには手出しをしないというのは……。

信田　多い。

上野　その逆はどうでしょう。

信田　それも多い。でも、だいたいは両方をやります。だけどね、殴っている男は、「おれは、子どもには手を上げない」と言い募ります。そうやって暴力を正当化する。「女房はさ、そりゃあ殴るけど」って。

上野　原因は女房にあるということですね。

信田　いいえ、女房は別に殴ってもいいと。だけど、子どもはかわいいと。だから、「子どもは殴ってないよ、いいパパだろ？」というふうに言うわけ。

上野　妻にも子どもにも暴力をふるう場合、ＤＶを受けている妻は、なぜ、夫から子どもを守ろうとしないんですか？

信田　自分のことで精一杯ですよ。

上野　そうよねえ。答えは自明で、聞くだけ愚問だと途中から思っちゃいました。だからもう、母性愛もへったくれもないね。母親は子どもを守ってなんかいませんね。

信田　うん。そういう家族があるのに、母性愛なんて言うなと思うんですよ。

上野　家族の中では、母親は自分自身をまず守る。子どもを、そのための手段にさえする。

信田　巧妙に子どもを差し出してね、自分は逃げます。そのどこに母性愛があるんですか。

上野　ほんとにそうね。

DV夫のもとに留まる理由

信田　クライエントが離婚するというときに、わたしたちカウンセラーが最も密に連携を取る人は、弁護士です。離婚して生きていける可能性が見えないときは離婚に踏み切れません。だから、実際に離婚するかどうかは別として、クライエントに弁護士を紹介して、今ここで離婚したら婚費がいくら請求できるかとか、そういった一定のアウトラインを弁護士に試算してもらうんです。そのうえで、これから先どうするかというふうに、クライエントと話をしていくんです。

上野　どういう条件があれば離婚に踏み切れるんですか。もし、離婚がたんに経済問題だけだとしたら……。

信田　そんなことはない。

上野　そうでしょ。だから話は戻りますが、そこをお聞きしたいんですよ。お仕事をお持ちで、収入もあって、経済的には問題のなさそうな方が、それでもDV夫のもとに留まる理由をね。離婚をたんに、生活問題や経済問題、労働問題に還元するのは、これまでの単純なフェミニストの解釈でしたが、そういうふうに明快に割り切れる問題ではなかろうと。それらがすべて解決されたとしても残る問題は何なのだろう、というところをお聞かせください。

信田　端的な言葉では言えないけれど、「独りで生きていけるのか」って、みんな判で押したように言います。「独りになっちゃう」と。

上野　あなたはさきほど、「孤独」は、事態に直面しないための、ある種の便利なキーワードだとおっしゃった。でも本当は、二人でいるほうがストレスになる、独りでいるほうが安心できる。ストレスだらけの夫との同居の中で、妻はそれを実感的に経験しているんじゃないですか？　他人というものは慰めの源泉であると同時に、ストレスの源泉でもありますから、おそらくそのような女性にとって夫は、いれば家庭が暗くなり、その間にストレスが高まり、出ていけばホッとするというような関係だろうと察しられるのですが……。

信田　やっぱり、なじんできた空気みたいなものがあるんじゃないかと思う。

上野　どんなストレスフルな夫でも、いないよりマシということ？

信田　わたしたちが言語化して考える以前に、なじんでいる湿度とか、空気とか、匂いとか、そういうものが、ここ十年、二十年の自分の環境だったとすると、そこを離れることの恐怖、それから、さっきも言ったように、妻の座から転げ落ちる恐怖でしょう。

上野　「孤独」というのは、「独りでいる」ということと同じではないので、差し向かいの孤独とか、夫婦であることの地獄とか、ディスコミュニケーションの相手と否応(いやおう)なしに接触していなければならないことの「孤独」のほうが、独りでいる「孤独」よりも耐えがたいと、傍目(はため)には思うのですが。

信田　そうでもないと思うんですよね。たとえば、アルコール依存症の人たちが、酒を飲んで死にそうになる。それなのに酒を手放せない。なぜ酒がやめられなかったのか、その人たちが言うには、「酒のない生活は考えられない、想像も及ばないからだ」と。

上野　わたしの推測ですが、そういう場合にも、ある種のずるさがあるのではないですか。仮に、単身赴任地のアパートや、出張先のホテルで酒を飲み続けたとすると、もしかしたら昏睡(こんすい)状態に陥ったりするかもしれないですよね。生命の危険すれすれのような状態になるかもしれない。そのとき、どんな助けも来ないということが前提でも、泥酔状態になるのか。それとも酒を飲むという行為は、それ自体が、他人の目の届く所での他人に対するある種のアピールなのか。

信田　両方ありますけどね。

上野　メッセージを送りたい当の本人の前で、あてつけがましく飲むのか。

信田　初期はそうかもしれない。でも、アルコール依存症の末期になると、生きて呼吸をするというような、友として酒があるという感じじゃないですかね。上野さんのおっしゃったことはすごくよくわかるけれど、アディクション（嗜癖）とは、そういう一種のコミュニケーションみたいなものなんです。

ただ、その本人も、本当はやめたほうがいいというのは半分ぐらいはわかっているんですよ。でも、やめられない。それはあたかも妻たちが、「こんなディスコミの、口を開けば自分を傷つけるようなことばかり言う夫のもとに、なぜわたしはこんなに留まり続けているんでしょう。別れたほうがいいと思うんです」と百回言いながらも別れられないのと似たようなものを感じる。

そこでわたしは、アルコール依存症の人が、同じ状況の人やお酒をやめて生きている人との出会いによって、お酒をやめられるということから、夫と別れられない妻たちが、別れていきいきと生きている人たちと出会うことで、別れられるようになるという可能性を感じるんですよ。

上野　信田さんはアディクション・アプローチの専門家でいらっしゃるので、できるだけそちらの方向に話を引っ張っていきたいと思っておられるのはわかりますが、アルコールへの依存と、夫への依存は、同じ共依存という概念で解釈が可能だとおっしゃるのですか。

信田　それはちょっと違う。わたしは、DVにおける「共依存」についてはよくわからないところがあるので、「共依存」という言葉はあまり使いたくない。

上野　では、「共依存」ではなくて、「アディクション」であると。

信田　うーん。

「まだ見ぬ未来」を想像する力

上野　わたしは、物に依存するのと人に依存するのとでは、根本的に違うと思う。なぜか。物は語り返さない。人は語り返す。アルコール依存と、夫がそこにいるということに対する依存は、パラレルにはなりません。だから、夫がアルコールに依存するといっても、実はそこには隠れたメッセージが、近くにいる他者、つまり妻に対して発されていて、決してアルコールとその男自身との間の対物関係で閉じているわけではなかろうと思うんですよ。

信田　わたしは、アルコール依存は、エタノールという物質への依存だと思います。

上野　わたしには、そうは思えません。人間はもっともっと深く言語的で、かつ社会的な生き物だと思うので。なぜなら彼らだって意思の力でやめられますからね。

信田　ただね、「なんとなくなじんでいる世界」を説明すると、たとえば、アルコール依存というのは、「酔った自分」で生きるということです。つまり、一種の多重人格みたいなものでしょ。「酔った自分」と「シラフの自分」を、巧みに使い分けて生きるのならば、「酔った自分」になることを確実に保証してくれるアルコールという物が自分にはある。そういう安心感を持って生きている人たちが、それがなくなったときに、どうやって自分が生きられるだろうかという不安にさらされる。

そう考えると、妻が別れられない理由は、結婚制度、それ自体にあるのかもしれないですね。

上野　つまり、代替案が見えない、あるいは想像できないから？

信田　それって「代替案」という言葉で表現されるようなものなのかな。

上野　何て言えばいいの。

信田　わたしは、地球外に出るような感じだと思う。あるいは、地球で生きているのに、地球上にある異次元空間に出るような感じではないかな、と思うのよね。

上野　「代替案」というのは、こなれの悪い日本語でね、わたしたちは、「オルタナティブ」（alternative）という英語の日本語訳としてイヤイヤ使っています。オルタナティブには、「まだ見ぬ未来」のような意味があるんです。今、現にあるものではなくて。

信田　「まだ見ぬ未来」だ。それはピッタリだわ。

上野　それに対する構想力とか想像力がない。

信田　「力」と言うと、自分の問題になりますが。

上野　自分の問題ですよ。やはりイマジネーションは能力だと思います。

信田　能力の問題かもしれないけど、想像するための素材がないということも言えませんか？　想像するときに、あまりにも情報が閉ざされている。

上野　でも、想像力も能力のうちですからね。いまここにないものを見る能力。ないものを聴く能力もあるかもしれませんが。

少し話が飛びますけど、たとえばベンチャービジネスをやる人たちは、まだ見ぬ未来を見て、足場のないところに足を踏み出すということをやっているわけです。必ずしも、はっきりした見通しや、はっきりした代替案が示されてから、AかBかという選択をするわけではないですよね。まだ見ぬ未来を見るのは一つの能力で、そこに踏み出すのも能力です。

足場のないところに踏み出すときには、情報を持つだけではなく、自分に対する信頼感や自尊感情、そういうものがどれだけ持てるかということも関係してくるでしょう。

信田　なんだか、あまりピッタリこないんですけどね。つまり、アルコールによって圧倒的に支配されている今の生活から、支配しているものが抜かれた世界、今ある生活から何かを取り去った生活という意味の「まだ見ぬ未来」を想像する能力ということですよね。

それは、今、自分を浸(ひた)しているものが全部取り去られるということで、ベンチャービジネスの人が何かを想像するとか、わたしたちが未来を想像するというよりももっと過酷な……。

上野　「失う」ということね。

信田　そうですね、失うんだ。

「あの人は強いのよ、でもわたしは……」

上野　すでに新しいステップに踏み出した人たち、しかも、そこで、めげずくじけず明るく生きている人を示す、とあなたが言うとき、それを「ロールモデル」と呼ぶんですが、それに対して、腐るほど聞いてきたのが「あの人たちは強いのよ」というセリフ。「でも、わたしはべつ……」なのよ。これまで、女性には多様なロールモデルがなかった。それで、「結婚以外のロールモデルを示してこなかったのは上の世代の責任」ということを言われますが、ロールモデルを示したからといって、それが何らかの解決になるとは限らない。

信田　「ロールモデル」として示すのか、「仲間」として示すのかでは、やはり違うと思う。言葉の使い方の問題なのかもしれないけど、わたしは「仲間」という言葉を使いたい。ベタな言葉なんですけど、それ以外に今のところ、言葉が思い浮かびません。「あの人たちはいいのよ、強いわよ」と言うように人と比較して、ある意味で自分の状況を正当化していくという発想を、わたしたちのグループでは基本的に否定していきます。

上野　でも、イヤってほど聞きません？

信田　言わせない。

上野　どうやって否定するの？　抑圧するとか。

信田　抑圧というよりも、「そういうみじめな言い方はやめてください」と言ったりする。

上野　じゃあ、抑圧ね。それを口にしようと思ったらさえぎるわけね。

信田　さえぎりますね。そういう意味では、わたしはものすごく洗脳的ですよ。

上野　マインドコントロール。やっぱり人格改造セミナーだ。

信田　それに対して、周りからの抵抗はすごくあるし、一種の反論というのも、ものすごくあります。ただ、わたしはメインストリーム（主流）を担っていなくて、マイノリティの中でやっておりますので、クライエントからの目立った反論は、今のところ聞いておりません。わたしは、「わたしの臨床というのは、それでしかありえない」というところからやっているんです。

上野　どんな臨床もクライエントのニーズがあってのものですから、たとえば抑圧された人が、ここじゃ愚痴も泣きごとも言えないのかと感じたら、二度と信田さんのところに来ないということはありませんか。

信田　それは、大丈夫なんですよ。「どろどろとした状況であることもよくわかるし、あなたが別れられないというのもよくわかるけれど、あなたが別れない理由を、『あの人たちは強い、でもわたしにはそんな力がない』と言ったら、この先どんな発展型がありますか」とか、「それは弱者が弱者を差別することだから、そういう発想は、わたしは絶対に認めません」というようなことを言うんです。

上野　「先生、そんな、あんまりです。あの人たちは強者だけど、わたしは本当に弱者なんです」……。

信田　っていうふうに言われたときにどうするかって？　ところが、そういうふうに言わないのよね。それ、不思議なのよ。彼女たちも、「あの人たちは強いのよ、わたしは……」と言いながら、そういう言い方をすることの問題点を、実はよくわかっているんですよ。心からそう思って言っているわけじゃない。そういう自分から脱したいわけですから、そのときに、「そうですね、あなたは弱者ですね」と言ったら、彼女たちはそこから動けなくなる。だから、彼女たちが「あの人たちは強いのよ」と言う、その一方にあるものをわたしがはっきりと代弁することで、彼女たちは、そちらの方向に自分の舵(かじ)を切ることができるだろう、というふうにわたしは思っています。

上野　ご本人のプライドに訴えるのね。

信田　そうです。

上野　わたしはロールモデルという言葉を使いますが、さまざまなロールモデルが登場してきたときに、たとえば、働き続けながら子どもを産んできた女性たちを見た他の女性たちから、あの手この手で、どんなにエクスキューズを聞かされてきたことか。あれがだめならこれ、これがだめならあれ。「だって、あの人はお家(うち)がいいから」「だって、あの人はダンナ様に理解があるから」「なんてったって、あの人は学歴があるから」「あの人は職場の上司に理解があるから」と、さまざまな資源を挙げて、それから「家(うち)には……」とね。たとえば「家(うち)の子は特別に育てにくい子で」とかね。とにかく、ありとあらゆるエクスキューズを動員して、それなりにがんばってきた女性と自分とを差別化する。

信田 何のためにやるの？　その人たちは。

上野 それがエクスキューズですよ。自分が何もやらずにすむための自己正当化を、ありとあらゆる手段で図ろうとする。

信田 それは、彼女たちが現状を変えずに、現状のままでいることに対して、どこかから責められていると思うからなんですかね。

上野 そうです。

信田 わたしは別に責めない。その人たちが別れたいと言って来ているわけですから。

上野 でも、「別れたいと言ってるあなたは、なぜ別れないの」と言うのは、責めることにならないですか？　本人にはそのように聞こえないの？

信田 本人には「なぜ別れないの」なんて言わない。別れられないから来たり、もっと別の問題もあったりして、ぎりぎりの状況で来ているわけです。そのときに、「なぜ別れないの」とスポンと言ったら、別れないことを責めることになってしまうから。

上野 「なぜ別れないの」も禁句にしているということなの？

信田 わたしにとっては、それは禁句。

上野 わたしはそういう方にお会いしたら、あなたが禁句としている言葉がひとことめに出てしまう。「あら、別れればすむことじゃない」って言っちゃうでしょう。

信田　上野さんはいいと思いますよ。上野さんがそれを禁句にしたときは、それはまずいんじゃないでしょうか。

抑圧が続くと立ち上がれなくなる

上野　そんなにも別れない人たちが、離婚に踏み切るときの契機は何でしょうか。

信田　さっきの、「まだ見ぬ未来」への不安を払拭（ふっしょく）するぐらいの後押しをしてくれる存在だと思います。わたしは、エンパワーメントという言葉をあまり使いたくないんで、「後押し」。

上野　「背中を押す」とか。

信田　そう。背中を押す人になりたいと、わたしは思っています。

上野　「後押し」のほうが、「サポート」という横文字よりいい言葉ですね。今のはとてもよくわかりました。

わたしは、実は、別の答えを予期しておりました。たとえば、夫の暴力がもっと深刻化したときや、子どもに対する暴力、それが性的なものにまで及んだとき、というね。これってマルクスの絶対的窮乏化論と同じ。いつ労働者が立ち上がるかというと、それは窮乏化がもっと深まったとき、というね。でも、あなたのお答えはそうではなくて、ポジティブな要因が登場したとき、ということですよね。それは非常によくわかります。マルクスの窮乏化論は、実はすでに歴史によって反証されてます。

信田　さっき上野さんのおっしゃったことと同じで、物への依存は窮乏化で断ち切られるんですよ。アルコール依存の場合の「底つき」という概念は、絶対的窮乏化論です。

上野　そうか、身体には限界があるから。

信田　でも実は、そうとも言えない。底つきにはいろいろあって、身体もあるし、仕事もあるし、家族もある。家族の崩壊に瀕したときにやめるというケースもあります。

上野　ドラッグユーザーなんかもそうだと思うのよ。このままだと死んでしまいそうだという危機感が、底つきの一つになりますね。

信田　一つにはなるけど、前にお話ししたように、身体記憶はすぐに忘れられますから、身体がよくなるとケロッとしてまた飲むということがあるんですよね。

上野　なるほど。マルクスの絶対的窮乏化論がなぜ誤りかというと、被支配階級というのは、抑圧し、抑圧し、抑圧し抜くと、反発して立ち上がるのではなく、抑圧に慣れるからです。

信田　まさにバタード・ワイフ（battered wife　殴打される妻）じゃないですか。

上野　はい。それは、収容所やいろいろなところで立証ずみです。強制収容所サバイバー（生還者）というのは、少なくとも一九六〇年代に、ユダヤ人虐殺の責任者であるアイヒマンの裁判が行われるまでは、ユダヤ人コミュニティにおいては軽蔑の対象だったたんですよ。「あれだけの暴虐に耐えながら、どうせ死ぬならと、命を賭しても反抗しなかった、惰弱なユダヤ人たち」と。サバイバーたちは、それまでほとんどが沈黙していたからです。

それを変えたのがアイヒマン裁判です。被害者が次々に証言台に立って、語りえない過去を語り始めたことによって、世界中が震撼（しんかん）して、被害者を見る目が変わったんです。口にすることもできず、言っても信じてもらえないようなことが、そこでは行われていた。

もう一つ思うのは、二〇〇〇年の「新潟少女監禁事件」の女の子のことです。

信田　そうね、逃げようと思えば逃げられたじゃないかという、一部の声がありますね。

上野　どんな逆境にも、生き延びるために適応するんですよね。歩けなくなるという代償を払ってまで。それはすばらしい適応力なんですよ。

つまり、最も抑圧された人々が革命的に立ち上がるなんていうことは現実にはめったにない、ということを歴史は立証しています。それで、マルクスは反証されているんです。終わり。

信田　別れられない妻たちも、言いようのない、本人も抑圧とすら思っていないという状況の中を、それなりに生き延びているととらえることができますね。

上野　そうです。生き延びていることにおいて、彼女たちはすでに十分にパワーを発揮しています。

信田　だから彼女たちは、いったんは肯定されなければいけないと思うんです。さきほどの「あの人たちは強いわよね。わたしたち、弱いのよ。わたしにはペットもいるし、子ども三人いるし」という発言は、自分が適応して、今こうして生きているということを、この人が肯定してくれるかどうかを瞬時に判断するためのリトマス試験紙として、出てくる言葉だと思うんですね。

そうか、絶対的窮乏化論って、すごく示唆的ですね。すべてに対してサジェスティブですね。

上野　そうなの。わたしも、あなたからたくさんのことを学んでいるのね。歴史というのは、集団の経験ですが、あなたのお話を聞いていると、集団の経験と、個人の経験が、驚くほどオーバーラップしてくるんです。慰安婦問題や、その他もろもろを含めてね。

被害者が加害者にならない唯一の方法

上野　わたしが信田さんから学んだ中で、非常に大きなことの一つは、「被害者であり続けることが、そのまま加害者性に転化する」「被害者であるということと、加害者であるということは、別なことではないのだ」ということ。これに非常に強い印象を受けました。

加害者性と被害者性を分離することは、論理的にも実践的にも不可能。これは、人権論の文脈に置きかえると、実にすばらしい定式化なんです。だれかに対して自分が被害者であり続けることが、被害・加害の構造を温存することに貢献するのだということになります。そうすると、自分が加害者にならないためのたった一つの方法は、自分が被害者であることにノーを言う、それしかないんですよ。論理的に言うと、それ以外に自分が加害者であることから脱け出せない、ということになります。

信田　被害者であることから脱する、というのは、どういうことなんだろうか。わたしはすぐに、家族のさまざまな文脈から考えていくんだけど、家族の文脈で言うと、被害者であり続けることが加害者になってしまっている、ということの自覚を持ってもらうことから始まるのかもね。

上野　具体的にどういう行為をすると、被害者から抜け出したことになるか。あなたは、「当事者性」という言葉を使ったでしょ。それを裏側から言うと、わたしの中で出てきた言葉はこれなんですよ。「I do not belong to you.」。つまり、「わたしはあなたに属さない」ということなんですね。「わたしはあなたに属さない」ということは、「わたしはあなたと違う」。

信田　「あなた」ってだれですか。

上野　目の前にいる他者ですよ。「わたしはあなたと違う」と言うことは、「自己回復」という言い方がありますが、「回復」ではない。「自己獲得」なんですよね。「自分」という言葉は、「分」というシェア（share）を含んでいます。「This belongs to me.」、つまり「これはあなたに属さない。これはわたしに属する」。属するためには、「自・分」に当たる、属する主体がいりますよね。たぶん、当事者性がないということと、属する主体そのものが存在しないということとは、重なっているんじゃないでしょうか。

信田　朝日カルチャーセンターで家族問題の講座で話すときに、わたしがいつも使う図があるんです。実にシンプルな図なんですけど、今の上野さんの話とすごく関連するんで。こういう図を使っているんですよ。

上野　亀みたい（笑）。

信田　Aという人がBという人にある行為をすると、BはAにそれをやめさせようとする。Bは母親だったり妻だったりする。でも、そういうことをお互いに繰り返しているかぎりは、問題はずっと続きます。暴力もそうだし、子どもの問題もそうだし。

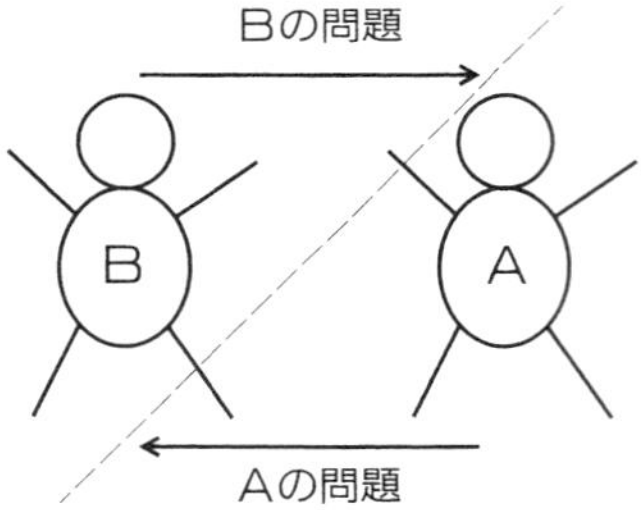

　そこでわたしが最初に話すのは、相手の行為をやめさせようとする前に、「まず、相手とあなたとの間に線を引きましょう」ということです。この線からこっちはあなたの問題、この線から向こうは別の人の問題、というふうにして、だれの問題かということを整理するところから始めるんです。「I do not belong to you.」、これはわたしの問題、これはあなたの問題。この問題については、わたしは基本的に関与できない。あなたが関与できるのは、ここからこっちのあなた自身の問題だけ、というふうに整理をしていくと、非常に具体的に、リアルに問題が解けていくんです。

上野　「自・分」の領域と、「他・分」の領域を区別するということですね。
　本当のことを言うと、「自分」の「分」が「シェア」、という言い方は、わたしはしたくないんです。どうしてかというと、「分」という言い方の中には、日本文化論の色濃い影響があるものですから。分際とか、分相応とかね。「自分の領域」とか、「相手の領域」と言うほうが、誤解が少ないと思うんです。
　わたし自身が、学生など、いろいろな人を相手にしょっちゅう使う言葉なんですが、「This is none of my business. It's your business.（わたしには関係ない。あなたの問題です）」と言います。
　やはり、「わたしはあなたと違う」ということを前提にしないと、自己になれないわけですよね。「違う」というところから、自己が始まるわけですから。でも、やはり「違う」ということに対する恐怖があるんですか。
信田　ありますね。「違う」ということを口に出すことへの恐怖は、すごいものがあります。わたしは、抵抗があるから、「違う」という言葉をあまり使いません。「別」という言葉を使う。ディファレント（different）です。
上野　では、「自分」ではなく、「自別」という言葉を使おう（笑）。
信田　「different」は、「違う」という意味と、「別」という意味と、両方がありますよね。だから、「わたしの問題とあなたの問題は別」という言い方をする。「違う」と言うと、否定が入っちゃうんですよ。

上野　日本語ではね。

信田　親たちには、拒絶になるんじゃないかと、恐怖が走るんです。赤と白、赤と黄、赤と緑、どの色もあって、でも別の色です、という言い方をする。

上野　やはり、「別」を立てたくないのね。自分になりたくないんだ。男も女も。

信田　というふうに、すぐに上野さんはサーッと走るんですが……。

上野　わたしが連想しているのは、「家族は自我の延長」という例のご発言です。妻と自分に「別」を立てたくないわけでしょ。その「別」を立てないような家族文化の中でずっと生きてきたわけですよね。それで、「別」が目の前に現れると、それに恐怖する。

信田　「別」じゃない人間がいるなんて、よく思えるわね。

上野　「別」がないと思うから、娘の身体にも手を出せるんですよね。

信田　「オレが最初にやってやる」なんてことが言える。なんて安易な人生だろう。彼らにこそ、孤独を知ってもらいたいよね。

上野　安易な人生を送っている人たちは、孤独を味わわずにすむんでしょう。

信田　それでもって、女に「独りじゃ生きていけないじゃないか」なんて言う資格はないぜ、と、わたしはいつも思っているんです。

「孤独」はすがすがしいもの

上野　女が離婚に踏み切れないときに、「孤独」がキーワードになると信田さんはおっしゃった。「別」を立てることによって自分が「自己になる」、自己になるということは「自分が一人である」という根源性に触れること。それが恐怖。これは、実存的な恐怖だと思いますよ。

信田　そんな高級なものじゃないと思う。それは、前にも言ったように、やっぱり「転げ落ちる恐怖」ですよ。現世のシステムから自分がポロッと落ちてしまう恐怖だと思うな。「だれそれの妻」でもなく、ただのバツイチの、中年の、シミだらけの、職もない、実家にも頼れない女になってしまうことの恐怖じゃないですかね。

上野　スウェーデンの映画監督のイングマール・ベルイマンが、『ある結婚の風景』（一九七四年）という長時間テレビ映画を作りました。それをみて、主婦たちが感想を話すディスカッションの場があったんです。わたし以外の人は全員、既婚者でしたから、「あの孤独にはぞっとした」「あの孤独を味わうくらいなら、どんなダメな夫でも、いないよりマシ」と彼女たちは口をそろえて言ったんですが、今のあなたのお話からすると、その方たちは、ベルイマンが描くような、実存の底に触れるような孤独を指していたのでしょうか、それともいなかったのでしょうか。

信田　あれは男が作った映画ですよね。

上野　はい。でも女優は上手に演じてました。

信田　そういう高級なものだ、というふうに、わたしたちはずっと思ってきたんですけどね。でも違う。

上野　「そんなに高級なものじゃない」っていうのはすごくおもしろい。なるほどな。実存の底に触れるような孤独なんて、ほんとは自己にならなければ味わうことさえできません。日本には、そういう孤独を知っている人はたいしていないのかもしれません。だから日本には、宗教がなくて、哲学もないのかもしれません。

信田　そうかもしれませんね。無理に味わうようなものでもないかもしれませんけど……。

上野　いつも思うんですけど、そのような孤独って、多くの人は恐怖の対象になると思っておられるかもしれませんが、味わってみると、しいんとすがすがしいものだと思いますが。

信田　ここから先は、上野さんの話を聞かなければね。わたしははっきり言って、よくわからんのですわ。

上野　味わったことがない？

信田　うん。最後にとっておきましょうかね、人生の果実として。

第七章　「カウンセラー無用論」を俎上にのせる

ピアがあればカウンセラーは不要?

上野　わたしが「ロールモデル」という言葉を使ったことに対して、信田さんは「仲間」とおっしゃった。この違いが大きく効いてくると思うんですが、アディクション的な状況に置かれた女性にとっては、これもクサイ言葉ですが、同じような悩みや問題を抱える者同士で行うピア・カウンセリング（略称「ピアカン」。「ピア」は「同輩集団」）が最も効果的である、ということなんでしょうか。

信田　効果的というか、つまり、ピアの存在は必要だということですよ。それから、ピアでない人も必要です。そうでなければ、わたしたちのいる意味がないですからね。

上野　聞こうと思ったことを、先取りして答えられてしまった。

信田　上野さんがそれを言おうとしているのはよくわかる。わたしも、ピアがあればわたしたちはいらないんじゃないかと、ずっと思ってきました。これは、アルコール依存症の人たちと接する中で、わたしが絶えず感じてきたことです。

上野　わたしもそう思います。

信田　でも、わたしはこの仕事をやっていきたいので、否が応でも、わたしたちの存在根拠を示さなければいけない。

上野　むしろ、職業上の「必要」ですね。ピアカンの当事者たちは、ピアカンがあれば十分と言いますから。

信田　いずれ、そういう時代がくるかもしれない。ただ、多くのピア・カウンセラーを見ていて思うのは、今のところ、自らの経験を相対化するというのは、とても難しいということです。ピア・カウンセリングの問題点は、そこですね。

上野　相対化は、一人の人間ではできないけれど、集団の力があればできるというのがピアカンでしょ？

信田　これはわたしの体験的な意見ですけど、ピア・カウンセリングほど権力と隣り合わせのものはないんですよ。ピアだからこそどこかで権力をふるいたいのかなって思うときがある。

上野　あなた、今、問題発言をしていない？

信田　ええ、わかっています。

　あと、参加者がお互いにカウンセリングしあうコ・カウンセリングみたいなものを知っていますけど、指示的にならないためには、何重もの装置が必要だと思います。こうするべきだということを、自らの経験で体現している人たちですから。

上野　上級者と初級者との間に序列ができて、進むべきステップがしっかりとシナリオとして示されるとか？

信田　そう。わたしが「ロールモデル」という言葉を嫌ったのは、モデルという言葉は「こうあるべきだ」という当為が設定されてしまうからです。

上野　じゃあ、ピアカンだって、「仲間」ではない、ということになるじゃないですか。

信田　だけど、ピア・カウンセリングのずるいところは、それを「仲間」という言葉で……。

上野　「仲間」という言葉を使ったのは信田さんですよ。

日本語で、ピアカンを「先達」だとすると、これも「ロールモデル」の一種ですね。「わたしのところまでついておいで」ですから。シナリオが敷かれているわけね。

信田　グループを引っ張っていく人の中には先達もいて、そうではない人もいるというような三極構造にしないと、モデルというゴールを設定したときに、その構造が非常に全体主義的なものになっていくのではないかという危険を感じているんです。

上野　「そうではない人」というのは、何者で、どういう役割を果たすんですか。

信田　わたしは、それになりたいのよね。

まず、わたしはピアではない。非当事者です。非対称であることに意味があるのではないでしょうか。でも、たとえばグループが全員女性であれば、女性という意味ではわたしもピアだし、同じだと。じゃあ、わたしがなぜ専門家としてお金をもらえるかといえば、一つは情報量の多さがあると思います。もう一つは、自らのコアになる経験があったとしても、それは、ある意味で非常に希薄であるからこそ、自らの経験を相対化でき、それゆえに多くの人の多様な経験に寄り添えるのではないかということ。それから、長年の研究とリサーチとに裏づけられた専門家としてのスキルでしょうか。

上野　今おっしゃった情報量と相対化は、十二分に補えるのではないですか。たとえば、先達とリーダーという関係でも、集団ならシナリオは人によってさまざまある。事例の多様性を見て自分の事例を相対化することは、集団の場や力があれば、それで十分と言えませんか。密室で一対一のカウンセリングは、もしかしたら危ないのではありませんか。

信田　きついご質問ですね（笑）。密室での一対一の関係は、おっしゃるとおり危険です。なにしろ二人っきりですからね。二者関係は夫婦でも見られるように、容易に支配関係に転化していくでしょうし。

わたしたちのセンターでは、グループカウンセリングを柱にしています。個別とグループとの併用とでもいいましょうか。じゃあ個別カウンセリングが必要ないかといえば、そうは思いません。やっぱり「秘密をこの人にだけ打ち明ける」という関係を求める人は多いですし、「カウンセラーを一時間独占できる」という満足感は代えがたいでしょう。自助グループに参加する一方で、非当事者・専門家であるわたしに一対一のカウンセリングを求める人も多いんです。

わたしたちはサービス業です。密室における危険性を防ぐために、一応、臨床心理士の倫理規程*もあるんです。それから、責任の問題があります。

上野　責任って何でしょう。だれがだれにどんな責任を負うんでしょうか。

信田　わたしたちは、有料であることにおいて、お金を払ったクライエントに対して、一定の満足がいくようにさせていただくという責任を負っているわけですよ。

上野　自助グループでお互いが持ち出しをしているのと、どう違うんですか。

信田　自助グループでは、グループ全体への献金という形でしょう。

上野　お金のやり取りはなくても、時間とエネルギーの持ち出しはしてます。

信田　お互いに、ですよね。仕事としては持ち出していない。わたしとクライエントは非対称です。提供したサービスの質に対して責任があります。

上野　だから、もしご本人たちにそういう自助グループを作り出す力があれば、それで十分とは言えませんか。

信田　当事者の力については、アディクションにかかわってきた援助者は十分すぎるくらいわかっていると思います。いずれ専門家という非当事者が必要なくなるのではないかと思ってるくらいです。でも、そういう言い方が専門家の怠慢と自助グループ依存を生んでいる可能性は否めません。わたしは非当事者として専門家という権力を自覚的に行使している以上、まだまだ研鑽を積む余地はあると思っています。

非当事者であることはどこかでコンプレックスになっているので、当事者にほめてもらうとものすごくうれしいし、自信になる。それは、「援助」という、どこかヘンタイめいた仕事をこれからもやっていけるという保証をもらうことです。偉そうな顔をしていてもいいよ、という担保になるんです。いったい、当事者にとって非当事者である援助者の存在はどんな意味を持つのか。一度、当事者の人たちに聞いてみたい。それこそが、もう一つの「援助者論」ではないでしょうか。

強固な専門家支配の下で

上野　フェミニズムの歴史をふり返ると、当初、CR（consciousness raising 意識覚醒）はある種のピアカンだったわけだけど、そのあとで、非常に奇妙なことが起きます。CRにファシリテーターという特化された役割が生じ、この人たちが専門家になり始め、トレーナーやカウンセラーになっていく。そのうち女性センターのようなところで雇用機会が発生し、ボランティアだったのが有償化されていく。とても食える職業とは言えませんが、専門家としての地位と報酬が発生します。

信田　一般的なカウンセラーの歴史と逆ですね。

上野　わたしは、初期のCRの担い手たちが専門化していくプロセスを「女性運動の堕

＊（227ページ）**臨床心理士の倫理規程**　「臨床心理士」は、一九八八年に設立された（財）日本臨床心理士資格認定協会によって認められた資格であり、国家資格ではない（詳細は同協会監修『臨床心理士になるために』を参照されたい）。一方、「カウンセラー」という職名は臨床心理士の資格の有無にかかわらず、自己申告で使用できる。日本では数えきれないほどのカウンセリング講座が開催されており、独自に資格を認定しているのが現状である。ちなみにわたしは臨床心理士の資格を持っているが、「カウンセラー」と自称している。なお現状においては、資格認定協会が「臨床心理士」の倫理規程を定めている。（信田）

落」と考えてきました。ＣＲでは、「聞いてちょうだい、わたしはね……」というのがほとんど。お互いに批判し合わないとか、聞きっぱなしにするとか、持ち時間はみんな平等に回すとか、そういうことは自生的なルールでした。だれかが決めたわけではない。それが、だんだんと形式化されて、ファシリテーターという……イヤなカタカナ言葉ですね、これには日本語の訳語がありません。

信田　ファシリテーターって、便利屋ってことですよね。

上野　別の訳し方はないでしょうか。

信田　今、女性センターのＤＶ関連の仕事は、多くはフェミニズム関係の人たちです。むしろプロとしていちばん需要があるのはその世界です。

上野　そうなんですよ。もう一つおもしろいのは、クライエントが自分たちでお金を持ち出して、「信田さんをファシリテーターにお呼びするのに、一人千円ずつ出しましょうよ」というふうに有償化したわけではなかったということです。そこに行政が関与した。行政が関与したから、その人たちに報酬が発生した。そういう行政主導の社会教育の講座に対しては、「行政フェミニズム」という批判が投げかけられました。

信田　どこから？

上野　草の根のアクティビストたちは、どこからも何の支援もなく、テマ、ヒマ、カネと時間を持ち出しでやってきた。仲間は対等、平場の集団、というのが女性運動の信念でした。だから、少しでも序列や権威を感じさせるような関係には非常に敏感に反応して、批判してきたのです。そうは言っても、マイノリティとか、逸脱的なグループであればあるほど集団内部で統制が強まる傾向がある。たとえば、そういうグループでは、化粧してきただけで糾弾されるとかね。ブラジャーをしているとか、してないとかで序列ができる。草木染めを着ているかどうかとかね（笑）。

信田　おもしろい話ですね。つまり、伝統的な、まあ伝統的というほどの歴史もないんですが、精神医学や臨床心理学の中で、集団精神療法というのは、ある意味で端っこですからね。いまだに、ピアや自助グループの存在すら、それほど認められていないんですよ。

それらの学問の中では、自助グループにつなげること、そういう人たちのグループなくしてわたしたちの仕事は成り立たないという発言は、いまだにきわめて少数派であり続けている。その一方で、フェミニズムの世界では、同じ仲間、対等であるということから発生して、そこから分化して専門性が発生し、お金をもらうということが出てきた。

上野　あなたの業界は出発点が強固な専門家支配ですから、なるほどなと思います。そう思うと、信田さんがどんなに逸脱的で反逆的なことをやってこられたかということがよくわかります。

市場原理で見たカウンセリング

上野　当事者たちが成熟していけば、いずれ専門家はお払い箱になる、最終的にはいらなくなるとお考えでしょうか。あなたは、現状を正当化するために理論枠組みを総動員しているみたいだけど、現状のほうが変化する可能性はありませんか。

信田　わたしがこう言うとまた、すごい顰蹙を買うかもしれないけど、医療というものが崩れないかぎりは、わたしたちは存在し続けられると思う。

上野　なるほど。じゃあ、制度に寄生しているわけですね。

信田　それはもう、したたかですよ。小さいころから予防接種されたり、ポンポンポンと聴診器で裸の胸を押されたり、自らの身体を医者という権威ある他者にさらすことが自分のためになるという、あの刻印によって専門家信仰が発生しているとしたら、それによってわたしたちは、カウンセラーという専門家であり続けられると思います。

しかも、わたしは脱医療という立場をとっています。医者でもなくピアでもないニッチで、何ができるかということですね。さっき上野さんもおっしゃったように、「ニーズにとことん添う」というのは一つの方向ですよね。だけど、わたしはそれとは少しスタンスが違って、「わたしという人間があなたという人間と出会って、あなたという人間はこういうニーズを持っている。それにとことん従うことはわたしの職業倫理であるけれど、わたしが一人の人間としてあまりにも許せないことは『イヤです』と言いますから、そういうわたしがイヤならば、ほかのところに行ってください」と、かなりはっきりと主張するんですね。そうなると、これもピアの変形かなという気がしてくる。

上野　それは、町の私設カウンセリングをやっている人の強みですね。

信田　パブリックではできないかもしれない。

上野　「わたしがイヤならよそへ行ってください」のひとことが言えるかどうか、市場原理の世界に生きているかどうかの違いですね。

信田　そうですね。いろいろな場面で、わたしの意見に対してパブリックな機関の人が、「ここではそれは言えません」とおっしゃるのを聞くと、「あ、それが違うのか」と実感します。市場原理の中で仕事をすることの困難さがあると同時に、わたしたちはワン・ノブ・ゼムであるということ。伊勢丹と高島屋があったときに、わたしたちがもし伊勢丹だとして「わたしたちはこういう明確な姿勢でやっています」と言ったときに、「やっぱり高島屋がいいわ」と言われたら、「高島屋へどうぞ」と言うんですよ。

上野　百貨店より、むしろ専門ブティックですね。

信田　一種のエクスキューズですよ。

上野　制度に対する寄生物でもありますね。

信田　ニッチであるという自己定義。ニッチって、パブリックと医療のニッチなんですよ。そしてさらに自助グループとのニッチでもありますし。

上野　それはとてもわかる。それともう一つ、市場原理の中で生きていると、フェミニズム業界の中でなら出てくるような「もっと貧しい経済的弱者をあなたはどうするのよ」というピアカン的な問いにさらされる必要がない。

信田　ああ、言えますねえ。

言えますからね。

上野　「三十分六千円を払えないあなたには、うちの敷居はまたげません」とハッキリ

信田　しかし、講演に行くと、ときどき批判が出てくるのね。「あなたたちは、そのような人を見捨てているのか」と。

上野　それには何と答えるの？

信田　「わたしたちもそれで食べておりますので」と。でも、生活保護の人をどうするかというのは、実はすごく大きな問題なんです。以前は、正規料金の一割で生活保護の人もクライエントとして受けていたんです。

上野　御社のご負担において、ということですか。

信田　そうです。出血サービスですよね。

上野　公的な補助は全然ないんでしょ。

信田　ありません。あとは、「二分の一減免」をやっていました。ある人が「わたしは、半分の料金だったらここへ来られます」と言ったときに、わたしたちは料金が払えないということだけで、この人の援助を打ち切ることはできないのではないか、と思ったんです。ただ、そうすると、果てしなく複雑になるんです。二分の一にする根拠は、自己申告ですからね。また中には、生活保護を受けていても、「わたしは満額払いたい」と言う人も出てくるんです。そういうときにどうするのかと考えたとき、こういうことで時間を割かれるくらいであれば、補助もありませんし、生活保護であっても全額支払っ

てもらうということにしましょう、ということになったんです。

上野　人によってそれぞれプライスが異なる、完全自由価格制というやり方もありますよね。

信田　カウンセラーに対してね。

上野　それもあります。わたしが言ったのは、相手の負担能力や問題の難易度に応じて、人を見て値段をつける、という意味ですが。もちろん、指名価格制もありえます。それは採用しないんですか。

信田　これはいろいろなところで言われていて、たとえば、「信田さよ子が一万二千円で、経験一年の二十九歳の若いカウンセラーが一万二千円。おかしいじゃないか」と。

上野　わたしもそう思います。ホステスだって指名料とるんだから。

信田　個人カウンセリングでやっているんだったら、それでいいんですよ。だけど、グループだと、お父さんが来て、お母さんが来て、子どもが来ると、三人のカウンセラーが付くわけです。そのときに、わたしたち全員の仕事の質が一定ラインをクリアしているということを示すためには、みんなが同じ料金でなければいけない。

上野　それは、あなたが「信田さよ子」個人じゃなくて、「原宿カウンセリングセンター」というブランドを売ってるブティックのオーナーだからなんだ。商品の品質管理をしております、という証明なのね。

信田　そういうことです。問題の難易度については考慮していません。それを判定するのはこちら側ですし、わたしたちの実力の問題ということになるでしょう。クライエントにすれば、その問題に等しく「困っている」のですから。

上野　それは経営者としては、もっともな態度だと思います。買っていただきたいのは個人ではなく、ブランドだから。わたしは市場原理派ですから、そこは実によくわかる。それでも、「貧乏な人はどうするんだ」という質問が、あなたの講演会に出てくるのは驚きですね。

信田　出てきます。それも非常に非難を込めてね。

上野　講演会には必ずそういう正しい人がいるんですよ。自分は貧乏じゃなくてもね。

信田　……公務員が多いかな（笑）。公務員ほどイヤなもの、ないんですよ。

上野　わたしもそう思う。そういえば、わたしも公務員だったわ（笑）。制度に寄生している存在です。

信田　そのような意識なくして、無料で研修をやってもらったり、研修会に出たりする。「お前なあ、金を払わないと研修に行けない人の気持ち、わかんのか?」という気持ちになるときもあります。また、そういう人に限って、正義の味方になろうとするんですよ。

技法によるカウンセリングの限界

上野　わたしは生協の方たちとお付き合いを続けてきたんですが、「自助、公助、共助の中で、共助を選ぶ以上、共助は助け合いだから、助けられるのと助けるのとで、お互いに互酬性を持たないような関係では共助になるはずがない。共助の能力のない人にまで責任を持とうと思ったとたんに、あなた方のシステムは崩れる」と、ずっと言ってきました。

信田　明晰（めいせき）に言語化されると、よくわかりますね。わたしはこういう現象を、現象のままに見て、いちおう文脈的には言葉にできますよ。描写はできる。だけど、それをどういうふうに言語化できるのかというと、言葉がないんです。

上野　とはおっしゃいますが、わたし一人が思いついた言葉ではなく、社会学の業界の中では常識となっていることです。信田さんに常識がなかっただけで。

信田　もうちょっと言わせてもらうとね、その業界の中では常識である言葉、それを必要とするようなカウンセラーがいないということが、わたしはすごく不思議なのよね。

上野　自分の仕事がクライエントとの間で閉じているんでしょうね。

信田　閉じた関係を表現する言葉はたくさんあるんです。フロイト以来。

上野　だから、技法になっちゃうのよ。カウンセリング業界の人たちが技法レベルで話をとどめていることについては、「もう、ええかげんにしてほしい」と思う。

信田　そんなこと、わたしもとっくに思っていますよ。頭にくるよね。

上野　技法ではなくて、なぜ理論が生まれないのかということですよね。

信田　上野さんから、わたしに対する何か一種の期待を込めた強制というか、そんな視線をじーっと感じているんですけどね（笑）。それは本当にそう思う。
上野　フェミニスト・カウンセリングの研修会などに行って、「十年もやってきたなら、もう理論が出てきて当然だ。技法レベルでお茶を濁すな」と、「もし出てきていなかったとしたら、あなた方の怠慢だ」と、わたしは言うの。やはり最初のステップは、「フロイトのへその緒を切れ」ですよ。
信田　そうですよね。そもそも理論はなかったということ、かな。
上野　通俗フロイト説まみれ、みたいなところがあって。悪しき生育歴還元説がずっとあったじゃないですか。「わたしは現在のセクハラの問題を悩んでカウンセリングに来ているのに、なぜ、過去にどんな家庭で育ったかをあんたに聞かれなきゃいけないの」とか。そういう傾向は、原宿カウンセリングセンターにはないですか。
信田　一応は聞きますけど、生育歴と、その人が今苦しんでいることとは別というか、どちらを先にやるかは判断します。今が大変な人に、生育歴を聞いてうんぬんかんぬん、というのはやらないですよ。

カウンセラーとホステスとの違い

上野　さきほど、別れられない妻たちは生き延びていることにおいてパワーを発揮している、だから彼女たちはいったん肯定されなければならないと、信田さんは言いましたね（215ページ）。食い下がりますが、その役割は専門家でなくても、ピアでもいいわけよね。「よくやっているわねえ、さよ子さん」って言ってあげられたら。

信田　専門家である必要はないと思いますよ。そういうことを考えていくと、ピアだとか専門家だとか、そんなに重要な問題ではなくなってくるんですよね。

上野　でも、わたしは社会学者ですから、そのときに金がどう動くかということを考えます。

信田　なるほど、そりゃそうだ。わたしは、それで食べているわけですからね。市場的に生き残らなければいけない。

ただ、何度も言うように、こういう市場原理で生きる仕事というのは、医師免許のようにパブリックによって権威を保証されていないので、わたしたちが最終的に何によって自分たちの仕事を正当化できるかというと、やはり理論だと思うんですよ。

上野　あれ？　「金の移転」が出てくるのかと思った。

信田　「金の移転」ということで言えば、たとえば、そのへんのビルで、ナントカカウンセリング、ハゲのカウンセリングとか、バイアグラを使わなくてもインポテンツを治すカウンセリング、なんていうことをやると、金はそっちに流れます。それとわたしたちとは、基本的には……。

上野　違うんですか。

信田　同じだと思いますよ。思いますが、ただ、わたしは、既成の学会に、既成の学問的権威に参入していきたい。参入というのは、ドミナントになるということではなくて、一定のインパクトを与え、なおかつ……。

上野 街のユタ（沖縄諸島の宗教的職能者）さんと、どこが違うんですか。

信田 街のユタさんや銀座のホステスと、カウンセラーとは、基本的には変わらないと思っています。何が違うのかといったら、やはり理論だと思う。

上野 街のユタさんも、訓練を受けて、なるようですが。

信田 さまざまに構築されてきた近代の学問と基盤をある程度共通にしながらも、それに対してオルタナティブであるという根拠を示せるか、ということじゃないかと思うんですけれど。上野先生、どうですか。

上野 近代の専門家支配という制度の補完物とは違うもので、いわば対抗的な代替物なんですね。

信田 そうですね。補完じゃないですね。

上野 別に、否定的な意味で言っているわけではありません。

信田 わかりますよ。それはよくわかる。

家族に持ちこまれたＰＴＳＤ

信田 女性の精神医学者、ジュディス・ハーマンは、ＰＴＳＤ（posttraumatic stress disorders 心的外傷後ストレス障害）という言葉を積極的に提唱しました。たとえば抑圧されればされるほどそれに慣れて適応していくということを、「加害者への愛」という言葉で呼び、これをＰＴＳＤの中の、「コンプレックスＰＴＳＤ」（複雑性ＰＴＳＤ）の症状のひとつに分類しています。これについて、わたしは当初、非常に感動したのですが、よくよく考えるとＰＴＳＤという言葉はとても微妙な言葉です。危険性をはらんでいるのではないでしょうか。

　収容所的体験というものと、家族の中の経験というものは、ある意味で共通の行動であると、ジュディス・ハーマンは『心的外傷と回復』（みすず書房、一九九六年）で言っています。この二つをつなげたのは、ベトナム戦争とそれに伴う大勢の帰還兵たちの存在だったと思います。

　ＰＴＳＤという概念が、家族の問題に適用されるようになったことで、親子でも夫婦でも、あらゆる現象が異なって見えるようになりました。たとえば、「愛情」や「忍耐」、「よく気がきく」とか、家族の中で作られてきた既成の言葉というものがあります。マルクス流に言えば絶対的な窮乏化が長期にわたって持続し、それがあまりにも長期であるがために、窮乏が当たり前になった末に生まれた言葉としてそれらを読みかえると、いろいろな現象がひっくり返って見えてくる感じがするんです。

上野　ＰＴＳＤはポスト・トラウマですよね。時間の上ではトラウマ的出来事が先行しますが、実際には現在の症状から遡及（そきゅう）的に構築された経験ですね。

信田　ハーマンは、単一トラウマというよりも、複数で長期にわたる外傷的体験ということを言っていて、遡及的ということは記憶をその根拠にするということですね。一部では、ある症状をＰＴＳＤと診断する精神科医もいて、一方では「ＰＴＳＤなんて、あんなものはいい加減だよ」と言う精神科医もいる。過渡的なのかもしれませんが。

上野　症名としては登録されていないんですか。

信田　ＤＳＭ－Ⅳ（Diagnostic and Statistical Manual of Mental Disorders-IV）という、アメリカの全米精神医学会の精神科診断統計マニュアルにＰＴＳＤは入っています。

上野　何年から入りましたか。

信田　一九八〇年、ＤＳＭ－Ⅲに加えられています。

上野　災害や交通事故は、予期しない出来事ですよね。戦争は人為的に引き起こされた非日常的な体験です。ハーマンは、まったく違う分野で生まれたＰＴＳＤという概念を、日常的な家族内の関係の中に持ちこんだ。そうは言っても、もともとフロイトのヒステリー研究の中にポスト・トラウマの概念はすでに登場しており、ごていねいにも、フロイト自身によって否定されるのですが、ＰＴＳＤは戦争神経症を経て復活しました。そのときに、ＰＴＳＤという概念に、何かの変化が起きたんでしょうか。

信田　変化は起きたと思いますね。

上野　たとえば、「抑圧者への愛」なんていうことは、ベトナム戦争や交通事故では、ほぼ考えられないでしょう。非日常的な経験が続いた結果、日常へ復帰できないというストレス嗜癖（しへき）が「抑圧者への愛」にあたるかもしれませんが。

信田　「抑圧者への愛」は、家族にまで対象を広げることによって出てきたものですが、でも、第二次世界大戦中の強制収容所でも「抑圧者への愛」は起きていたわけでしょう。

上野　なるほどね。信田さんが、「家族は強制収容所である」とおっしゃるのがよくわかりますね。

信田　子どもにとっては、まさに強制的に収容されたわけでしょ。

上野　そうですね。しかも、出ていく先がないわけですから。

信田　実は、妻にとっても、最初はあたかも選んだように見えるけれど、入ってみたら強制収容所だったというのは、子どもの立場とそんなに変わらないと思う。

上野　出ていく先がないという点ではね。

信田　時間がたてばたつほど、見えなくなりますよね。ある精神医学系の学会にシンポジストで参加したとき（二〇〇一年）、「外来の精神医療ではPTSDをどういうふうにお考えですか」という質問に答えられる医者は少なかったですね。

上野　マジに考えたことがないから。

信田　うん、考えていない。ところが、今、おもしろい現象が出てきていて、法律の世界との接点で、PTSDという概念がすごく意味を持っているんです。

上野　セクハラ裁判において、弁護士が最も依拠した理論ですね。

信田　「加害、被害」の関係性を医学的に保証する、客観性を持つ唯一の言葉なんですよ。

DSMというのは病因を不問にする、というのが建て前だったのに、PTSDはそこに明らかな「原因」を措定（そてい）するものとして初めて登場したんですね。その点が画期的だと思うんですよ。だから法律や裁判の分野では、ＰＴＳＤがいろいろと活用されている。

上野　セクハラ裁判でずっと勝ってきたある弁護士さんから聞いた言葉で感動したのは、「わたしたち、勝てる理論なら何でも使うのよ」とおっしゃったことです。研究者と違って理論の一貫性もへったくれもない。ＰＴＳＤという概念が、非常に使いでのある武器だということは、大いにあると思います。

　秋田のセクハラ裁判では、午前中にセクハラを受けた女性が、そのあと昼にほかの人と一緒に昼食を食べたことが争点になった。裁判官が何を言ったかというと、セクハラのような重篤（じゅうとく）な被害を受け、トラウマ的な経験をした女性が、その直後に平然と昼飯を食ったということが信じられん、と。それに対して、ＰＴＳＤの概念を使って、「あまりにトラウマが深いときには、そのことに対処できなくなる。そういう場合には、現実から逃避して日常のルーティンをやることで、ようやくにして自我を支える」というロジックを組み立てた。

信田　なるほど。勉強になりますね。そうそう、改名の申し立てをするときにも有効です。親からもらった名前を消したいと思っても、通常だと五年ぐらいかかるんですが、それが今や「親からのＰＴＳＤ」という診断書を持っていくと、短期で改名ができる。

上野　錦（にしき）の御旗（みはた）になったんですね。その診断書を出す権限はだれにあるんですか。

信田　医者。

上野　精神科医のみ？　あなたのような立場の方はだめ？

信田　それは、できません。

上野　臨床心理士資格があってもだめなの？

信田　だめ。

上野　民間資格だから？

信田　そうです。国家資格じゃないからです。だからわたしたちは、わたしたちと一緒に動ける精神科医を二人ぐらいキープしておかなきゃいけないの。

上野　バカと専門家は使いよう、ですね（笑）。診断名としてのPTSDは、相当使いでがある？

信田　いろいろなところで、使いでがありますね。使いでということにおいては、画期的な言葉ですね。本当に、使えるものは何でも使う。そして、使っているうちに、法律や精神医学がだんだん変わっていくという気もします。

「ACも性的虐待も自己申告」という問題

上野　あなたはさっき、PTSDの概念にある種の疑念を持っていると言いましたね。使いでがあると思っている一方で疑念も持っているわけね。

信田　医療モデルへの回収ではないかという気がするんです。

上野　もちろん病名であり、診断する権限が専門家にあり、ということから考えれば、まったくそのとおりでしょう。でも代替案は何がありますか？　医療モデルへの回収という批判には、百パーセント共感します。それじゃ、医療モデルでないとすれば、ほかにどのように言語化したり理論化したりしたらいいんでしょう。

信田　やはり、自己申告だと思うのね。

上野　突然、飛びましたね。「自己申告」というのは、問題含みの言い方というか、というよりプロボカティブな言い方ですね。コントロバーシャルではなくて、プロボカティブ。コントロバーシャルは「問題含みの」でいいんですけど、プロボカティブは、「さまざまな議論を引き起こす」というか、「刺激的な」というか、「インスパイアリングな」という意味に近い。

「わたしの現在のこのような状態はＰＴＳＤである」とか、「わたしはＡＣ（アダルトチルドレン）である」「わたしは性的虐待を受けた」というのは、すべて自己申告です。「自己申告である」ということの中には、決定的に二つの事柄が含まれています。一つはもちろん「当事者性」ですが、もう一つは、「事後的」ということです。場合によっては、事件や出来事が起きた当時には、当事者がそれを、被害とは認識していなかった可能性を含むということですね？

信田　だって、そういうものだもの。

上野　自己申告というのは、常に事後的なんですよ。

信田　前に話したと思うけど、性的虐待って、まさにそうだと思う。

上野　いよいよその話に踏みこみましょう。わたしたちは二人で危ない橋を渡りましょう。これを言うと、両方とも叩かれるでしょうね。わたしは歴史家から叩かれ、あなたはほかの臨床家から叩かれる。

信田　かまいません。わたしはカウンセラーですから。クライエントがいるかぎり、平気です。

ＰＴＳＤは「ポスト」（事後的）ですが、医療モデルにあるかぎり、やはり「現在的」です。「ポスト」とわざわざ言うこと自体が「現在的」で、つまり時制が現在なんです。だけど、「自己申告」というのは、やはり物語的と言うんでしょうか、今までの自分の人生を別の形で語らざるをえないような記憶です。性的虐待では、何気なく生きている人が、喉に骨か何かが引っかかっているような感じがあったり、過去の自分の歴史をたどったときに、なぜか巨大な空白があったりする。「これはいったい何なんだろう」と思う。もしくは何か奇妙な経験だけれども、「いや、あれは何でもない」と思おうとしていたときに、本などから得た知識によって、その経験に「性的虐待」という名前が与えられる。そのときを境に、現在までの物語が反転していくような感覚ですね。

上野　記憶が再定義されるわけですね。経験の語り直しとかね。

信田　それが性的虐待の、一種の混乱と錯乱じゃないかと思うんですね。

上野　ちょっと問題発言になるかもしれませんが、二つの解釈が可能だと思うんですよ。一つは、これまでフタをして空白のままやりすごしてこられたのなら、なぜそれから働かないというのに。

なぜそれをわざわざ掘り起こし、周囲を巻きこんで、トラウマだとか、ACだとか、言い立てなければならないのか。とりあえず、最も身近な人間関係を悪くする方向にしか

後もそうできないのか。なぜ、臭い物にフタをしたまま、生き続けてはいけないのか。

　二つには、過去の経験にACや性的虐待という名前をつけたとき、それは後から与えられたボキャブラリーですよね。そのことによって、過去がかえって耐えがたいものに変わる可能性はありませんか。「あれは、少々厳しいだけのしつけだった」と言えば、何でもないことですむかもしれないのに、虐待と名づけたばかりに、つらい体験になる。たとえば、性器を触られることと、肩を触られることが同じだ、というふうに考えれば、それですんだことが、何で性器を触られたらこんなに屈辱的に感じなきゃいけないのか。なぜ性的な事柄が、トラウマの中でも、格別なトラウマにならなければならないのか。それは、もしかしたら名づけの効果で、そういうカテゴリーがなければ、もっと軽い傷ですんだかもしれない。

　こういう可能性に対しては、どう考えますか。

信田　前者に対しては、「千年の眠りから覚める」とか、「寝た子を起こす」という言葉にあるように、いったんアウェアネスしたもの、つまり自覚されたものは、もう過去には戻らないと思う。

上野　でも、わざわざ寝た子を起こすには及ばないという考え方もあるでしょう。

信田　起きてしまうんです。起こしたんじゃないと思いますね。

上野　もしかしたらそれを起こしたのは、ＡＣブームかもしれませんよ。

信田　そうかもしれない。しかしね、それに呼応する自分の経験があったということですよ。

上野　でも、ＡＣ関係の本さえ読まなければ、自分をＡＣだと認識せずにすんだかも。

信田　こちらの伸ばす触手がなければ、刺激と、刺激の受容体というのは、一致しないわけですよ。だけど、そこには受容体はあったわけですよ。受容体の存在そのものが、やはりどこかで不整合を生み、自分の中で違和感を生んでいた、というふうにわたしは考えるんですよね。

上野　なるほどね。メッセージは聞かれるべくして聞かれるものですからね。

信田　だと思いますね。何でもない人はＡＣの本読んでもあまり感じないですよ。多くの人は「ああ、こんなものなのね」で終わる。

「シンリ撲滅」「ココロ撲滅」

上野　近代家族論から言えば、ＡＣブームの中では、読めばＡＣに該当しない子どもはほぼいない、というぐらいの一般性、普遍性を持つと思いますよ。

信田　ある項目に一致したから「わたしはＡＣだ」と思う人も一部にいますが、ＡＣという言葉の含意するものは、もちろん項目もそうですけど、項目の前提になっている、親という存在の加害性ですよ。そこにまで同意する人は、そこに書かれているような言葉に響くんだと思う。

上野　だけど、親という存在の加害性は、親というポジションの加害性であって、たまたま親となった人の人格の加害性ではないので。

たとえば、大学という制度の中で、指導教官というものは、わたしの人柄のいかんを問わず、ポジションとして加害性を持ちます。制度の中で生まれる権力関係だから、わたしの学生が、わたしに抑圧を感じるのは、わたしにも防ぎようがない。わたしがどんなに注意深くふるまおうが、そんなこととは関係なく、彼らは被抑圧感を持つでしょう。

それと同じことが、近代家族の中でも起きているのではないか。人柄の良い悪いと関係なく、ポジションの持っている加害性。つまり、ほかに選択肢がない、とか、親の加害性を相対化するような第三の他者の存在があまりに少なすぎる、とか。となると、たんに普遍的な現象としか思えないこと、つまり、少し前は「親の愛」とか「愛のムチ」とか呼んできたものを、それをACと呼びかえてしまう。そういう罪はないですか。

信田　つ、罪？

上野　つまり、「親の愛」と言っている間は——もちろん「愛」というのはマジックワードですが——「親の愛」という、これまたマジックワードを疑わずにすんでいた。「お母さんがあんなにわたしに厳しかったのは、わたしを愛していたからこそなんだわ」と。

信田　でも、それを罪と思う人は、ＡＣという言葉を嫌いますよ。

上野　罪と思う人って？

信田　「幻想をはがしてしまって、なんて罪な言葉なの」と思う人は、その言葉を拒否する権利があるから、「もう、ヤな言葉だわ」とおっしゃるんじゃないですか。その言葉を「待ってました」と言う人、「まさにそのとおりだわ。わたしのこういう部分を肯定してくれる言葉があって、なんてよかっただろう」と言う人は、その言葉に納得するんじゃないでしょうか。

上野　おっしゃるとおりですね。結局、人は、多様な選択肢の中で、自分に一番つごうのいい理論を選び取るものですから。

信田　理論て、そういうものじゃないですか。

上野　そういうものです。理論家の役割は、その選択肢を増やすことですから。

信田　というふうにおっしゃる学者は、少ないでしょ。

上野　学者の中には、理論は「正しいか間違っているか、どちらかだ」と言う人もいるようですが、わたしは、理論は「つごうがいいか、つごうが悪いか、どちらかだ」と思うんで。問題は、だれにつごうがよいか、ですけどね。

信田　というふうに断言する人は少ないんじゃないですか。

上野　そうかもしれませんね。

信田　だって、「真理」とか言うじゃないですか。

上野 あの方たち、真理がお好きですねえ。「真理」や「正しさ」が、結局はだれかのつごうを隠蔽（いんぺい）していることに無自覚なだけでしょう。

信田 サイコロジーの「心理」も、truthの「真理」も、両方ともおもしろいですね。

上野 そうですね。でも、どっちの「シンリ」も罪悪ですね。

信田 ほんとにそう。

上野 意見が一致しちゃった（笑）。「シンリ撲滅（ぼくめつ）作戦」です。

信田 「ココロ撲滅」ですわ。

性をあまりに特化しすぎるんじゃないかと上野さんはおっしゃいましたが、たとえばレイプのような性的被害とか、性的虐待の被害者に対して、「かわいがることと同じじゃないか」と世間では言ってきたわけでしょ。それが「そうじゃない」「違う」と考えるところから、彼女たちはすごくショックを受けたり、混乱を呈したりするわけです。でもわたしは、やはり「違う」と思うんですよ。

「あれは性的虐待だった」と言ったときに、彼女たちの物語がなぜひっくり返るかというと、愛だと思ってきた親からの行為が、自分に対する侵入であり、加害行為であると読みかえなければいけないからです。

親がいまだに近くにいたり、もしくは亡くなっていて「パパ、ありがとうね」なんて墓参りで手を合わせていたような人の行為が、実は性的虐待だったとわかった場合、「いったいなぜあの父がああいうことをするのか」、もしくは「なぜああいうことをしたのか」という謎にとりつかれてしまうわけですよ。そのことがもたらす衝撃の大きさからも、性的虐待はほかの虐待とは明確に「違うんだ」と言えるでしょう。

上野　こういうことだと思います。性的な行為に、性的でない行為との間の大きなギャップを与えているのは、実は被害者本人ではないんですね。加害者が、すでにそれを特別な行為としてやっているわけです。それが、人には言えない何らかのスティグマ（汚名、恥辱）を伴う行為だということを、加害者のほうは自覚している。それを「愛」だと思いたいのは被害者のほうでしょう。加害者も「愛」という同じ言葉を使うでしょうが、それは支配欲や所有欲を言いかえたものにすぎません。被害者は「愛」という言葉で隠蔽してきた「現実」を、後になって再定義する、ということですね。

それにしても性的な行為が、支配と所有の刻印になるというのは、近代が性に与えた特権的な意味付加からきています。その点では、被害者も加害者も、両方とも、近代の性のパラダイムから抜け出せていないということでしょう。

第八章　人は、社会的存在でなければならないのか

結婚待機組は愛人予備軍

上野 わたしはもう、四十代、五十代は相手にしなくていいと思っています。半世紀も生きてくれれば、どんな人生を送ろうが自分で自分の人生に責任をとるほかありませんし、今から人生をやり直せるわけでもありません。だけど三十代はまだ間に合います。だからこの本は、三十代の女性たちに読んでもらいたいと思うのです。そこで最後に、三十代女というところに話を戻したいのですが。

信田 はい、どうぞ。

上野 今の三十代非婚者は、ほとんどが確信犯じゃないんです。結婚待機組なんですよね。モラトリアムがきかなくなったときに非婚者に何が起きるか。この人たちは愛人予備軍というか、実際に不倫市場に参入してる人たちです。彼女たちがGOサインを出せる男たちは、ほとんど売却済みですからね。モラトリアムが切れれば、結婚制度のもとで男に属した女に対して、決定的な敗北感を味わうでしょう。それが「負け犬」ですね。

信田 そのときに、その人たちに希望はないんですか。

上野 そこは、信田さんにお聞きしなきゃ。

信田　わたしに？

上野　あ、そうか、信田さんは既婚者でしたね。制度の中の勝ち組です。

　わたしの新しいプロジェクトは、「高齢シングル女性の生き方」っていうものですが、超高齢化社会ではいずれ、遅かれ早かれ、最後は女はみーんなシングルになる。ざまーみろ。わたしのほうが先輩だぜ。

信田　いいねえ。

上野　これが希望です。「キミたち、シングルじゃ新人だろう」って。

信田　男のほうが先に死ぬ。そうすると結局、女はシングルになる。

上野　必ずとは言わないけど、非常に高い確率で女が後に残ります。だって平均寿命が約七歳違いますからね。

信田　そのときに、夫に先立たれた高齢の女性たちが、自分をシングルって規定するでしょうか。

上野　規定しなくたって、現に生活がシングルだもん。子どもと同居というオプションはあるけど、そのみじめさは、だんだん明らかになってきたので、経済的にゆとりのある人たちはかえって同居したがらない。

信田　ただ、そのときに、ずっとシングルできたシングルと、「わたし結婚したのよ、子ども作ったのよ、それで先立たれてシングルになったのよ」というシングルと、シングル同士の間に差別って起こらないのかな。

上野　あまり起きないと思う。夫は死別だろうが、離別だろうが、最初からいなかろうが、シングルライフの過ごし方そのものにたいした差はない。ただ、子どもの有無では差別は起きるかもね。子どもの達成で女の値打ちを測る世の習いはまだまだ強いですから。頼りになる孝行者の息子や娘がいるのは、資源として大きい。ただ、超高齢化社会では、高齢逆縁が起きる可能性がある。八十歳とか九十歳まで生きてしまうと、子どもに先立たれるかもしれない。

　だからね、「まあ、わたしと変わらないわあ」「こちらに戻っていらっしゃーい」って、わたし言ってるの。

信田　「わたしのノウハウ教えてあげるわあ」って。

上野　そうそう。「わたしのほうが先輩よお」って。たとえば、配偶者の喪失で泣き暮らしている人には「あなたの人生をたった一人におんぶして、リスク分散してこなかったツケよ」って言えるでしょ。これが希望です。だめですか、この希望。だから、「うーんと長生きするとシングルは勝つ」。

信田　ただ、それは今の三十代にすればかなり先のことですよね。もう少し、今を生きる希望ってないんですかね。

上野　彼女たちは、バイオロジカル・クロック、子産み年齢のタイムリミットを、相当、意識しています。結婚というオプションがなくなると困るのは、「産むなら三十代のうち、これがぎりぎり」と思っているからです。だから政策的にいうと、少子化対策のためならこの人たちに、「シングルマザーに安心してなってください」って、言ってあげたらいいと思うのね。

信田　わたしも本当にそう思う。「少子非婚」って、子どもを産むことと結婚とをセットにしないほうがいい。結婚しなくてもいいとなったら、産む人はいるかもしれない。

婚外子を認めない本当の理由

上野　経済同友会の「次代をつくる会」で、「少子化対策をマジに考えるならば、婚外子出生率の上昇を図るような政策に転ずるべきだ」という話をしたんです。そしたら「あ、僕の意見と同じですね。僕らの周りでも婚外子はいっぱいいる」と言う男がいてね。「じゃあ、あなたとわたしは共闘できるかもしれませんね」と言ったんです。すると、もう一人の男がね、「それ言うと結局、男につごうのいい社会になりませんか。乗り逃げできるんだから」と言う。「ハイ、そのとおりです。個人としての男は免責されます。その代わり、集団としての男が所得再分配によって負担を背負うことになりますから、ほかの男がやった乗り逃げの責任をあなたも背負わなきゃいけない、ということになります」。

つまり、生産年齢人口の男女が子育て負担の費用を分かち合う、ということですね。でも、これをやると、「モラルハザードが起きる」「男のほうが乗り逃げをする」「女のほうも無責任になる」とかいう反対意見が保守側から出てきます。

保守派の一番のアキレス腱は、やっぱり家父長制ですよ。自分に属さない子ども、つまり、男に属さない子どもが生まれるということを、彼らは決して許せないのです。

信田　男って、脆弱だねえ。

上野　彼らは、これを口には出しません。口には出さず、別のさまざまな道徳的な言語で言いかえます。だけど、家父長制の根幹にあるのは、子どもがだれに属するかという権力のルールなんです。支配的権力の源泉は、自分の正統性を自分の出自によって表すことですから、男に属さない子どもは抹殺されるほかない。この世の中で生きる場所がないんです。

信田　そこに加担しているのが心理学ですねえ。父、母、子というねえ。

学会の発表で、「これは父的のナントカで、これは母的のナントカ」と言う人、必ずいるんですよ。「何ですか、それ。父的なものと母的なものと、両方いるんですか、グループに」と言うとね、「それはそうでしょう」と。もう疑いもなくそう思っているの。たぶん、婚外子問題にそういう理論も援用されますね。父的なもの、母的なものの両方がないと、子どもが育たない、と。

上野　だから「シングルマザーが安心して生み育てることのできる社会を」とわたしが言うと、ちょっとリベラルな男は、「いいですね」とか言いそうなんだけども、それは、今言った根本的な意味が本当にわかっていないから簡単に賛意を表明するんでしょう。女と子どもが、男に属さずに生きていけるようになるということなんて、男には認められないでしょう。コストは背負うが権力は行使できない、ってことですもの。

母子家庭バッシングの根幹にあるもの

上野　今のアメリカの母子家庭バッシングの根幹にあるのは、モラル・マジョリティのヘテロセクシズム（異性愛を自然なものとしてとらえる「異性愛主義」）ですよ。

信田　すごいんですか。

上野　大変です。そして、納税者にとってシングルマザーが社会のお荷物になることを「福祉アンダークラス」と呼んでいます。

政治学者で在日二世の、姜尚中（カンサンジュン）さんという非常に優れた研究者がいらっしゃいます。例の九・一一以降、「世界は国家間戦争ではなくて、市民戦争の状態に入った」と彼は言います。市民戦争っていうのはね、前線なき戦争なんですよ。だれが敵で、だれが味方かわからない。あるとき突然、敵が作られる。今、イスラム系の市民たちが、アメリカ国内で攻撃のターゲットになっているでしょ。その次の敵は何かというと、姜さんの直感では——わたしは、もうゾクッとするほど恐ろしい——福祉アンダークラスだと。これが社会の敵になる。

福祉アンダークラスに対応するのは、日本ではひきこもりとシングルマザーでしょう。シングルマザーは、日本ではまだそんなに増えていない。だけどアメリカでは大量に増えて、その結果、社会のお荷物になっている。それにエスニシティ（民族性）と階級がかかわっています。そうなると、モラル・マジョリティ、つまり共和党を支持している人たちのバッシングの対象になります。これは目に見えるように予見できますね。日本でも福祉アンダークラスが、内なる敵になっていく。生活保護受給世帯に対するバッシングがそのよい例です。福祉国家は、必ずそういう副産物を伴います。

信田　北欧なんかでは、シングルマザーというのはどうなんですか。

上野　北欧は、また別な条件があるから簡単には言えないんですが、結局は、北欧諸国も難民受け入れを含めて市民権の範囲を制限していっています。特定の集団の中では分配平等を達成するが、ただし、ここに入れるメンバーシップを限定するという動きがあります。原資が限られていますから、「だれでもいらっしゃい」というわけにはいかない。ドイツははっきりその方向に進んできましたね。フランスも、ル・ペン（極右政党「国民戦線」の党首）のような目に見える排外主義が登場した。外国人ならまだ……まだ、っていう言い方は大変悪いですけど、目に見える敵ですよ。イスラムとか、トルコとかね。ところが、攻撃が今度は内なる敵にも、つまり、福祉アンダークラスに向かっていくでしょう。

信田　ひきこもりも、まだ親が抱えこんでいるうちは表面に出ないからいいんですね。

夫のインフラか、親のインフラか、子のインフラ

上野　話を戻しましょう。四十代になって結婚が人生の選択肢にないと決まったとたん

に、バタバタと田舎の親もとに帰っていく女たちがいる。介護と引き換えに親のストックの恩恵を受けるわけです。要するに、女としちゃあ、夫のインフラか、親のインフラか、どちらかにぶら下がって生きるしかない。夫のお世話をするか、親のお下の世話をするか。

親のストックがどの程度のストックかにもよりますけれど、介護期間が長期化すれば、親は自分のストックを食いつぶしてあの世にいくことになるかもしれません。そうなったらどうするんでしょうね。

ストックなき、子なしシングルも登場するでしょう。正規雇用を続けてきていれば年金がありますけれど、非正規雇用のパートやバイトや派遣だったら、老後、福祉アンダークラスになる可能性がありますね。場合によっては無年金者とか。保険料を払ってない人もいるし。月額一万円を超す保険料はけっこう負担が大きいですから。だから、親が二十代、三十代の娘の国民年金を払っていたりする。まったく自立していません。

日本の非婚はモラトリアム非婚で、確信犯非婚じゃないんです。その場しのぎで、「男が現れたら、わたしの人生はどうなるかわからないわ、だから人生設計ができないのよ」と言ってきた。たんなるバカとしか言いようがないんだけど。なんでこういうことになるんでしょうか。

信田　ミもフタもない言い方だよね。

上野　おかげさまで、クライエントに同情しなきゃいけないカウンセラーじゃないものですから、言いたいことを言わせてください。

信田　不確定要因に自分の人生を賭けるというような生き方は、やめてもらいたいな。

上野　そういう人たちは、自分の人生に自分で責任を取らなくていいと思ってるんでしょうね。夫か、親か、子どもか、だれかが責任取ってくれると思い続けてるんでしょう。

信田　男もそうだなあ。

上野　男もそうですよね。たまたま経済力があって、今のシステムに守られてはいるけれども、会社や組織や権威にオンブしてるところは同じね。妻にも依存してるし、子どもに対する幻想も、女より男のほうが強いことがわかってるし。「老後は子どもと暮らしたいか」という質問にイエスと答える男が、女よりも数が多いって、知ってました？　でも、最後になれば、女だけでなく男もみんなシングルになるんだから。シングルになったら、だれもあなたに対して責任を取ってくれません。子どもがいたって、逆縁だったら同じこと。ああ、長生きはするもんだ。これって非婚シングル女の逆転勝利（！）になりません？

フェミニズムは勝ち組女の思想なのか

信田　そういうときに、三十代女性の希望においてね、フェミニズムというのは、どういう意味があるんですかね。

上野　三十代シングル女というのは、ネオリベこと、ネオリベラリズム（新自由主義）

世代なんですね。ネオリベは「自己決定・自己責任」がキーワードです。フェミニズムの「女性の自立」がネオリベの文脈でとらえられると、「自己決定・自己責任」に翻訳されるわけですよ。そうなるとフェミニズムもネオリベの思想、勝ち組女の思想と読みかえられてしまう。

まあ三十代半ばまでは子どもを持つと社会的に不利になりますから、勝ち組の女はキャリアのシングル女性。遙洋子さんに象徴される存在。自分の欲望に忠実で、かつ努力と才能で自分の欲しいものを調達する、そんな握力が強いシングル女たちにコトバを与えたイデオロギーがフェミニズムであると考えられている節があって。そうすると、「林真理子もフェミニストである」ということになってしまう。

信田　わたしはね、「自立」って言葉を、すべて消したほうがいいんじゃないかと思うんです。あんなに胡散臭い言葉はないと思う。

上野　同感です。なんて意見が合うんでしょうね。

信田　わたしたちのところに来る人たちが、ふたことめには、「わたしって、自立してないですよね」と言うんです。そのときに、「自立って何ですか？　わたしは〝自立〟って言葉は使いません」と言うと、「じゃあ、依存的ってことですか？」って。「依存。いいじゃないですか」って言うんですよ。ほんとに、「自立」って言葉はまずいと思う。

上野　しかも、その「自立」のモデルが男性モデルですからね。最悪ですよね。

信田　だって、そのモデルの男が、まあ「自立」って言葉を仮に使うとして、「自立」

してない。所有感を確かめるために、自分に属するいちばん幼い女の子から性的搾取（さくしゅ）をするなんてさ。

上野　さいっ低ですね。

信田　わたしもだんだんボルテージが上がってくるんですけど、もう腹立たしい。

上野　もう一つ、三十代女にわたしが危機感を持っているのは、彼女たちは、ポス均こと、ポスト均等法世代なんです。彼女たちの世代になぜフェミニズムの言葉が届かないか。フェミニズムの側の責任だ、と言われることもあるんですが、メッセージを送り続けているのに届かないのは、こちらの責任ではない。メッセージというものは、聞くべき耳にしか届かない。

あの世代には、ネオリベの罠（わな）がパックリと口をあけて待ってたような気がする。「自己決定・自己責任」の前に、幻想であれ、選択肢の多様化がありましたから。

わたしたちの世代には、選択肢がありませんでした。女はまとめて差別されたから、まとめて連帯するしかなかった。利害の共有がありえたんです。ところが今は、なまじ選択肢があるばっかりに、知恵と能力のある女がその自分の知恵と能力をほかの女と連帯するためではなく、ほかの女を出し抜くために使う。こんな世の中でフェミニズムが成り立つわけがないでしょう。

信田　それ聞いて思うのはね、やっぱり、摂食障害の女の子たち。まさにネオリベの罠にはまった存在よね。痛々しいほどに、「自己決定・自己責任」の人生を送らなければならないという、あの人たちの恐怖。「わたしが勉強できないのは、わたしの努力が足りないから」「やりたいことが見つからないのは、わたしの意欲がないから」「こんなだめなわたし、でもそれを許しているのもわたし」「ああ、こんなマイナス思考のわたし」……という出口のないアリ地獄ですね。

上野　時代の病理ですね。

「自己実現」という幻想

信田　摂食障害の女の子たちと話している中で、いつも一番イヤなのはね、「自分のやりたいことが見つからないんです」という言葉。あんたねえ、自分のやりたいことって、見つかると思ってんのって。

上野　そうだよね。わたしもそう言いたい。

信田　わたしだって、今は自分のやりたいことやっていると思うようにしているけど、やりたいことなんて結局見つからなかったよって。

上野　わたしも、教師というやりたくない仕事を身すぎ世すぎでやってるよと、ずっと言ってる。

信田　彼女たちが母親から叩(たた)きこまれた言葉なんですね。で、母親世代はいくつかというと、やっぱり五十代。

上野　わたしたちの世代です。

信田　わたしたちが取り残したのか、やり残したのかはわからないけど……。

上野　仕事というものは、生計（たつき）の方便です。「身すぎ世すぎ」と「好きなこと」が一致するはずだ、というまったく困った幻想がある。その幻想を、村上龍（むらかみりゅう）の『13歳のハローワーク』（幻冬舎、二〇〇三年）は煽（あお）りましたね。そういう手合いにはこう言うんです。「あんたがやったことに、他人がなんでゼニ出してくれると思う？　その人の役に立つことをやったから、他人の財布から金出してもらえるんでしょ？　だったら少しは人の役に立つスキルを身につけろよ。マッサージでも、語学力でも、人の役に立つからゼニもらえるんだ。自分が好きなことしてゼニもらえると思うな。自分が好きなことは持ち出しでやるんだ」って。

信田　ひきこもりの子もそうだよね。「僕はいったい何がやりたいんだろう」って。

上野　仕事と自己実現が一致するなんて、大きな幻想ですよ。

信田　「自己実現」という言葉も、イヤな言葉ですねえ。

上野　心理学者の罪ですね。

信田　ちょっと気のきいた女の人は、みんな言うもんね、「わたし、自己実現してないんですよ、今までの人生」。

上野　「わたしもしてませんけど」と言いたいよね。

信田　言いたいです。ほんとにそういうことを考えると、現実は言葉によって構築されますよねえ。

上野　信田さんだって、カウンセラーが本当にやりたいことかどうかはよくわからない。ほかに選択肢がないから結果として好きになっただけだと思うけれども。ご自分の人生のプライムタイムを、悩みを持った他人にずたずたに奪われながら、生計を立てていらっしゃるわけでしょ。たまにはヴィヴィアン・タムのお洋服も買いたくなりますよね。

信田　買っておりますが。

上野　はい。気晴らしもしたくなりますよ。また一緒に行きましょうね。

　わたしも、学生がわたしのところに相談に来たり、人からの頼まれごとをするたびに、わたしは、このようにして他人に食い散らかされて、自分の時間をずたずたに奪われながら生きていくのかと思いますよ。だけどそのつど、思うんです。これがイヤなら仕事をやめたらええねん。やめんかぎりは、これがわたしの商売や。お商売や思うて、努めておりますがいな。

信田　大学の先生が自分のこと、商売だなんて言うのはおもしろいですねえ。

上野　下のお仕事だろうが、頭のお仕事だろうが、お商売はお商売。人様のお役に立って、人様のニーズにお応えするから、お財布開けてもらえますねん。サービス業者ですもん。接客業ですから、わたしたち同業者だわ。

信田　大学の先生で接客業だと言うような人、いないなあ。

上野　私学の教員たちは、もう、そう自覚せざるをえなくなってます。否も応もない。私学は厳しいですからね。あぐらなんてかいてられません。わたしも弱小私学の教員時代に骨身にしみてますから。私学の先生たるや、授業で学生さんがわかんないと、「あ、わかんなかったあ？　ゴメン、わたしが悪かった」って言わなきゃいけないんです。お客さんを選んでられません。

「自立」に替わる表現を

上野　「信田先生、わたしはどうしたらいいんでしょう。信田先生はわたしに自立を求めておられないんですね。でも、依存でもないんですよね。じゃあ、わたしは……」。

信田　依存でもいいの。依存はいいの。

上野　あ、いいんですか。「じゃあ、わたし、今のままでいいんだわ」。

信田　今のままで満足ですか？

上野　「ええ、けっこう」。

信田　じゃあ、それでおやりなさい。

上野　自立でも依存でもなく。それなら、何なの？

信田　「自立」がどういう文脈で出てくるかというと、今の自分をエクスキューズするときに、「自立してないからだ」という言い方で出てくるんですよ。今の自分の否定として出てくるんですよね。もしくは、他者と自分を比較して、自分を際立たせるときに、「わたしは自立してないから」「あの人は自立してるから」という言い方で出てくる。じゃ、いったい「自立」とはどういうものなのかということは、茫漠(ぼうばく)としている。

上野　自立でもなく依存でもなく、というときにあなたがイメージする生き方は、どんなものなんですか？　明晰でない言葉で語ってくださってかまいません。

信田　うーん、「したたかに生きる」ってことかなあ。

上野　わたしはすごく簡単に考えてるんですよ。「自分は無力で限界がある」、つまり自分の分をわきまえるということは、「自分には何ができる」ということがわかると同時に「自分に何ができないか」ということがはっきりわかること。自分にできないことをできるようにするには何が必要かということがわかる。だとしたら、自分にはないが、必要なものをよそから調達するスキルさえあればいい。

信田　ただ、その前段階のね、自分にできることとできないことが、まったく区別がつかない。

上野　ええ、ですから、あなたが言った「自・分」つまり「分・別」です。「分・別」がつかなければ、自分の限界を測ることさえできない。当たり前のことですよね。自分が他人に何を求めているかさえ、実はよくわからない。

信田　それって、カウンセリングのことですよね。

上野　そうですね。何を求めているかがわからないかぎり、「どうにかしてよ」と言われたって、どうすれば満足できるかもわかんないわけですよね。「必要」のことをフランス語で「ブゾワン」と言う。「欲求」と訳すんですが、別の訳語で言うと「欠乏」になります。

自立を、自己完結であるというふうにとらえると、自分の中ですべての欲求が充足されるということになりますが、そんな自己完結ができないことはわかりきっています。欠乏があることは、はっきりしている。「自・他」の別がつけば、自分に何が充足でき、何が充足できないか、自分の欠乏の内容が何かということがわかる。欠乏があることは、恥でも何でもない。欠乏があれば、それをよそから満たすスキルがあればそれで十分。

「どうすればやる気になれるか」という問い

信田　ときどき、女性誌の「ＳＡＹ」とか「ＭＯＲＥ」の……。

上野　女性史かと思った。「ジョセイシ」違いでしたね。

信田　女性誌のカウンセリングで、身すぎ世すぎのために、原宿カウンセリングセンターの名前を出すために、「こういうときどうしたらいいですか」というような読者の質問にも答えるわけですよ。

そのときに思うのは、すべて質問が自己完結なの。「わたしがこういうふうになったのは、どんな病気のせいですか」「仕事のやる気を起こすためにはどうしたらいいですか」とかね。そこでわたしが、「どういうときに仕事のやる気が起きないのか」というふうに状況還元的、関係還元的な言語に直していくと、編集部は「困る」って言うんですよ。つまり自己完結的な問いを立てたら、自己完結的に答えてくれと。つまり、そこにはすでに、自己完結的な問いを立てるという、一種のイデオロギー的な装置が働いているわけですよね。

上野　それより、何が問いかが、本人に自覚されていないってことでしょう。どうしたら仕事をやる気になるでしょうか。

信田　たとえばね、「どうしても仕事をやる気が起きないときに、どうしたら仕事をやる気になるでしょうか」。

上野　わたしだったらどう言うかというと、「問いというのは、それを立てたときに、すでに立てた当事者によって一番よく考えぬかれています。あなたはご自分の問いに、すでにご自分で答えておられるではありませんか。どうしても仕事をやる気になれない、と。これ以上に、わたしに何を言えって言うんですか」ですよ。

信田　まあ、それはそうだけどね。

上野　ミもフタもない人だなあ、わたしって。

信田　問いを発した人は、実は一番よく答えを知っている。それはそのとおりなんですけど、ただ、彼女は「仕事をやる気が起きない、でも、やる気になりたい」ということを言ってるわけですよ。すると心理学者たちは、「こういうことをやったらどうですか」と答えるんだけど、でも、わたしはねえ、「心理学には、やる気が起きるようなハウツーがあるんじゃないか」という幻想を持っていること自体が問題だと思う。

上野　そういうときは、どうなさるの？

信田　「やる気がしないときは休みましょう」と答える。

上野　わあ、すばらしい。

信田　やる気を起こさなきゃいけない、ということ自体、必要がないとわたしは言う。

上野　わたしだったら、「休みましょうよ」って言うより、「やめたらあ」って言う。

信田　それは上野的。わたしの場合は、「無理に仕事しないで、二、三日休暇とってみましょう」って、女性誌的に答えるわけですよ。

上野　たとえば、「夫とセックスやる気がしない」って言われたら、「とっ替えたらあ」とかさ。そんなもんでしょ。

信田　そういうときに、男の人だったらバイアグラなんか飲んだりするわけじゃないですか。

上野　「やめたら」って言われたら、ふつう、やめたあとどうしたら生きられるかという問いが続く。「夫を替えたら」って言ったら、「どうしたら男をつくれますか」って聞かれたことがある（笑）。

二十代「自縄自縛（じじょうじばく）」、三十代「自業自得」、四十代「墓穴を掘る」

信田　今の三十代、二十代後半は、自己完結的な問いや考え方に芯（しん）まで染まっている。で、最後は「癒（いや）し」になだれこんでしまう風潮がありますね。これは、やっぱりネオリベラリズムの罠なんですかね。

上野　ネオリベって個人の中で完結する論理ですから。問い自体が間違っているかもしれないという可能性は考えないんですね。

信田　だから、そういう問いが発生するということ自体、わたしは「なるほどなあ」と思ったんです。今の若い人は、こういう問いで自縄自縛になってるのか、って。

上野　ほんとにそうね。自縄自縛は、三十すぎたら自業自得って言うんですよ。

信田　四十過ぎたら？

上野　墓穴を掘る。

信田　五十過ぎたら？　趣味でしょう。

上野　まあ、五十過ぎたら趣味かもしれませんね。それなら趣味は奪わないほうがいいかも。

信田　そうか。自縄自縛、自業自得、墓穴を掘る、で、趣味の域だね。そういう人いるよね、五十になってもね。

上野　いる。だから、もう、そういう人には手出しをする必要はないですよ。

信田　たとえば、パートで働いていて、落ちこんでいてね、「わたしの人生、本当はこんなもんじゃないと思うんだけど」って言う人、ほんとにいる。パート同士でお昼ご飯を食べながら、「わたしね、ほんとに自己実現するためには、家庭を捨ててもいいと思ってるの」なんて話をするんだって。

上野　「やりたきゃやれば」って話ですよね。

信田　それで、それを教えてくれたのが、三十代半ばで摂食障害の症状がなくなってゼロから出発して仕事している女性なの。で、「なんて醜悪なんだと思った」って言ってました。

上野　おっしゃるとおりですね。

「かわいいおばあちゃん」イデオロギー

上野　最近、高齢者問題にずずっと引きこまれてるんですけど、リストカットをするような子どもたちが、寝たきりとか痴呆（ちほう）の人たちともっと接触したら、「自分が存在するということに、他者の許可も承認もいらないんだ」って感じてくれないかな、と思う。だって、こんなに役に立たず、こんなに希望がなく、こんなに自分を自分でどうしようもない人たちが、それでも生きている。「じゃあ、この人は死んだほうがいいのか」と、そこで立ち止まる。「死んだほうがいい」と言えないわたしにとって、最後に何が言えるか？　そういう問いが残るでしょう。

信田　心理学や精神医学を含む、現在の対人援助の学問は、わたしたちのライフサイクルに、自己実現、達成、あるべき発達、成熟、未熟という言葉に代表されるような、意味やステージ（段階）があるという前提で成立しています。上野さんのおっしゃることは、人間の発達についてのこれまでのとらえ方のひっくり返しですね。

上野　そうです。

信田　誕生から死までを表す言葉はいっぱいありますが、そこに暗黙のうちに込められた価値をいったんカッコに入れる必要があると思わされました。上野さん、ラディカルですね。

上野　やっぱり、最近、老いというものが射程に入ってくると……。

信田　そうかあ。「自分が存在するということに、他者の許可も承認もいらない」のか。わたしにとっては、それは希望だね。

上野　人間は社会的存在でなければならないということにも、わたしは深い疑問を持ってきました。なぜわたしが生きることに、他者の承認がいるのか？　なぜわたしが他人の役に立つ存在でなければならないのか？　そうでなくなったときのわたしは、生きる価値を失うのか？

信田　老いによって照射される、近代の発達論および精神医学っていうやつですねえ。じっと目をこらして老いを見つめると、世界が反転して見えてくるというわけか、なるほど。

上野　日本には女の老いについて通俗的なイデオロギーがあります。「かわいいおばあちゃんになりたい」イデオロギー。愛されなければわたしは生きてる価値がないのか。まっぴらごめんだよ。最近、年寄り相手の講演会で、言うとすごくウケるセリフがこれです。「かわいいおばあちゃんになりたいって言う人がいますが、今までかわいくなかったわたしが、これから先、かわいくなれるわけがない」。

信田　わたしもきっと、拍手をすると思います。

上野　「急にかわいくなったりなんかできない。これから先の老人介護は、お年寄りがかわいかろうがかわいくなかろうが、ちゃんと介護してもらえる権利があるということです」と言うと、大ウケにウケるの。

信田　今のはすごいインパクトがあります。さすがだねえ。老人介護の現場に行って、そういうふうに思う人って今までいなかったですよね。

上野　だって、反応もないような超重度の障害者を抱えておられる方とか、あるいは痴呆（ちほう）や寝たきりの方たちと付き合っておられる方は、それこそ「命の底をつく」というようなご発言をなさいますね。

信田　そこから照射してね、「居場所」とか、そういうものの無効性をきちんと言った人は、いないんじゃないですか。典型的な「老人介護の現場から」というのとは違いますよね。

上野　おもしろいのが、そういうお年寄りの集まりに行くと、ほとんど決まって男性が、「年を取っても世間のお役に立って生きることが大事です」「わたしはこんなに有意義なことをしています」ってことを綿々とおっしゃるのよ。男ってほんとにいくつになっても度しがたい。社会的な承認なしでは、お前は生きていけないのか。

信田　最も依存的なのね。他者の評価に依存するのが男だということを露呈していますね。

介護をめぐる十年の変化

上野　このところ、ほんの十年ぐらいの間に、介護をめぐる状況に、あれよあれよと信じられないぐらいに変化が起きているんです。

第一に、介護者の優先順位が、まず配偶者になりました。高齢者の夫婦世帯の数が急速に増えて、夫婦がそろっている間は、片方が要介護になっても夫婦だけでがんばる。子どもの助力は極力得ない。夫のほうが先に倒れる確率が高いので、老老介護の妻の負担が高くなりました。ところが、番狂わせが起きて、女のほうが先に倒れるケースが増えています。最近、介護者のジェンダー比で、男の比率が徐々に上がってきているんですが、それは夫婦世帯の中で夫が介護者になったケースが大半です。

二つめが、このところ急速に浮上してきている娘の介護です。この場合の娘というのは既婚、非婚を問わなくなってきています。昔は「嫁（とつ）げば他家の人」で舅（しゅうと）・姑（しゅうとめ）の介護責任は発生したが、自分の親の介護責任からは一応逃れられました。ところが今、少子化の影響で、嫁ごうが嫁ぐまいが娘の介護責任はなくなりません。娘に対する期待を親は持ち続けています。親の希望の優先順位も嫁よりも娘のほうが高くなってきています。

それから三つめが、費用負担。基本的には受益者負担になってきました。介護保険はできたけれど、利用料の自己負担分は、親の年金の範囲内でカバーする。親世帯と子世帯の家計の分離が前提です。この家計の分離原則は、同居している場合でもシビアになっています。親の経済的負担能力を超えた介護はしない。子世代は手は出すが、金は出さない。だから金のない年寄りの老後は、これからなかなか大変です。

それともう一つ、きょうだい間の財産分与に関して、介護の見返りに対する要求が強くなってきました。

もう一つ、データからわかってきたのが、同居、異居を問わず、主介護者がいると、ほとんど介護の助け合いがないこと。だれかが主介護者となれば、その人にほとんど全責任がかかって、きょうだいや親族は手も足も出さない傾向にあります。だから、主介護者は負担が大きく、かつ孤立しがちであることもわかってきました。

「意地介護」の犠牲者たち

信田　そういうことが、日本の家族観にどのような影響をもたらすんでしょうか。

上野　家族観が変わったから、結果としてそういうことが起きたんです。介護が無償の関係ではなくなったということです。

信田　それは介護に限らず？

上野　自分の子どもにだって、条件付きの愛なんていうのもあるでしょう。自分の期待に応えればカネは出してやるが、そうでなければ見放すとか。自分の親に対しては、それ以上に、もっとシビアな打算があるでしょう。

信田　それは前世代が、ある意味、愛で無償の行為を強制してきたことの反作用っていうわけではないんですか。

上野　そうではなく、わたしは少子化の影響だと思っています。たとえば、佐江衆一さんの小説『黄落』（新潮社、一九九五年）の世代は妻が六十代ですよね。六十代の女たちは、嫁として、舅・姑の看取りをやりきってきました。舅・姑を見捨てるとか、介護負担が原因で離婚するというケースは、多くありません。ところが、歯を食いしばって介護負担を背負う彼女たちの中にあるのは、「嫁として後ろ指をさされたくない」という意地なんですよ。愛情からやっているわけじゃない。これをわたしは「意地介護」と名付けました。

　意地介護というのは、相手のため、というよりも、自分が納得するためにやるんです。そうすると、自分の「気がすむ」介護ではあっても、当事者が本当にそれで満足しているかどうかはよくわからない。

信田　わたしたちのところにカウンセリングに来る人に、意地介護の犠牲者が多いんですよ。

上野　やっぱり、犠牲者が生まれるのね。具体例を聞かせてください。

信田　それはね、ぜひぜひ言いたかったの。たとえば、薬物依存の息子を持つ母親が、胸を張って言います。「わたしは舅と姑を看取りました」。もう、勲章二つ、っていう感じで。それで自分の子どもは、ある意味、二の次。自分としてはもちろん一生懸命やったつもりなんです。子どもの成長期に姑はずっと寝たきりだったから、褥瘡を作らないように懸命に介護しました。夫もそれを望んでいた。

上野　ねえねえ、「看取りました」って胸張って言うときには、「褒めてちょうだい」がつくわけでしょ？

信田　そうですよ。世間の人はみんな褒めるわけ。「がんばりましたね。嫁の鑑ですよ」と。それで、その一週間後に息子が自殺してしまう。自分の母親がずっと自分のおばあちゃんの介護をしていて、母親がそれでいつも疲れていて、「ハー」ってため息をついて深いシワを刻んでいた。そして子どもが、意地介護の被害者となった。

上野　被害者であり続けることが、そのまま加害者になるという、ズバリそのとおりの事例ですね。

信田　そういうことです。介護という言葉だけでくると、子どもの世代が切り離されてしまうけど、ちゃんとその次の世代があって、被害者が発生しているんですよ。

上野　意地介護の人たちは、子どもにさえ助力を求めない傾向があります。でも、そのことによって、子どもを被害者にしてしまっているんですね。

信田　だからわたしは、意地介護と聞いたときに、おぞましいと思いました。

上野　おぞましいですよ。わたしはこのところ、年寄り目線で考えるので、意地介護されたら年寄りが迷惑だろうと思うんです。意地介護は、「あなたがしてほしいことをやる」のではなく、「わたしが気がすむようにやる」介護です。

信田　東京と秋田を行ったり来たりして十五年ぐらい、ずっと母親を介護していた人がいるんです。母親の次は父親の介護。その人が「こんなにわたしは一生懸命にやってる」と言いながら、介護されている父親と自分の関係は最悪のものになっていくわけ。ところがね、ある日、「介護はだれのものだ」という視点に気づいたんです。距離をとって「この人は自分に介護してもらいたいと思ってるんだろうか」「わたし、本当にこの父を介護してあげたいと思ってるんだろうか」ということを絶えず意識してやるようにしたら、介護されている父親と介護する自分の関係がスムーズにいくようになったんです。

上野　今の話を意地介護に関係して言いますと、「当事者がしてもらいたい介護」と「介護者がしてあげたい介護」はイコールではないってことですね。

信田　そうです。だけど、意地介護をしているときには、そのことに気づかない。

上野　だって自己チューでやってるんだもん。自分がかわいくてやってるんでしょ。

「子が親を看（み）る美風」発言は許せない

上野　家族歴も歴史ですから、歴史を背負った関係というのは、なかなか「恩讐（おんしゅう）の彼方（かなた）に」というわけにはいきませんね。「家族介護が一番」という考えは根本的に問い直されるべきで、家族介護というものは、当事者の心理的な関係においても、介護のクオリティにおいても、決してベストではない。ここから出発しないかぎり、介護保険の理念は成り立たないと思います。だからこそ、「子が親を看（み）るという美風」などという反動発言は許すわけにいかないのです。

信田　介護というのは、その関係性の集約として出てくるわけですからね。いくらアルツハイマーになったからといって、ずっと憎んでいた親に対して突然、優しい子どもにはなれません。母親の身体に触ろうと思ったとたんに、指が止まってしまうとかね。そして、「止まってしまうんだあ」で終わらないところが悲劇なんです。社会の常識的な言説を取り入れている自分が、母親の身体に触れない自分を、「なんて冷酷な娘なんだろう」と責めて、「わたしはヘンじゃないかしら」と思ってカウンセリングに来る人がけっこう多いんです。

上野　わたしの知っている人の話では、自分を嫌い抜いた舅を介護するときに、抱き上げようとしても、うまく接触ができない。それで距離を置いてやってたら、腰に無理な負担がかかって、腰を痛めてしまった。しょうがないから踏みこんで身体を接触して支えるようにしたら、やっとそれでうまくいくようになった。だけど、それをやってみて初めて、自分の身体が、もうどんなに舅と距離を置きたいと思っていたかが、よくよくわかったと言います。

信田　介護って身体性ですもんね。

上野　そうです。介護関係で言うと、夫婦間介護が圧倒的に多いんですが、そうすると、セックスレスのカップルとか、ＤＶのカップルの間で、身体介護ができるかという話になりますね。

信田　ほんとですよねえ。そんな残酷なことさせちゃいけない。だから、スクリーニングみたいなのがあってね、「だれにも言いませんから、この人を介護してもいいと思っていますか」みたいにして、イエスって言う人だけ介護するとか。ノーと言う権利もあるとか。

上野　介護者の選択肢が一人しかないということが根本的に問題なんです。他人が入るとか、複数の選択肢があるようにしないといけません。

パラサイトもあだ花、十年で崩れる

上野　社会規範から言うと、意地介護を支えてきた日本の嫁のエートス（社会的心情）というものは、もはや五十代以下の女には受け継がれていないと思います。なぜかと言うと、女性にとっての美徳とか女らしさの価値という規範が解体したから。「女らしさ」の核にあるのは、自分の利益より他者の利益を優先することですが、そうではなくなった。それというのも、少子化の影響で、娘を自己チューのわがまま者に育てたツケなんです。「お前自身の幸せが一番だ」って。もちろん、息子はそれ以前から自己チューの暴君なんですが。

信田　そういう家族観の変化がなぜ、結婚という与件を排除して生きるような「わたし」の確立に結び付かないのでしょうか。

上野　ほんとにそうですね。親から子への贈与の性格が変わってきてるんです。それにかかわってきてるのが、少子化プラス戦後の経済変化です。今の六十代は、いわゆるパラサイトの親の世代で、右肩上がりの成長経済の最後の受益者だという話をしましたね。それから贈与にも、負の贈与と正の贈与があると。親子関係の中で贈与の意味が変わってきていて、負の贈与で親が子どもに迷惑や負担をかけるとか、あるいは親が子どもの足手まといにならないことが最大の贈与だった、なんて時代は、はるか昔になったというわけです。

信田　今や負の贈与なんてないんですね。

上野　ほとんどね。ところがその次の世代の子どもは、親からの正の贈与を受けることを当然視してる。それは、正の贈与を与えるだけの財力がすでに親にできたことと、少子化の影響、それにもう一つ、さっきからずっと出てきた、親の子どもに対する所有意識がありますね。

わたしたち団塊世代でも、「老後は子どもと暮らしたい」と答える女親は、ものすごく多いです。男親はもっと多い（笑）。一人になりたくない、という子に対する依存でしょうね。そのためには、子どもの顔色を見て、どんなプレゼントでも買ってやる。一方で、子どものほうは物質主義の中で消費文化まみれの人生を送ってきていますから、親に金を使わせることを当然視しています。パラサイトしていることに子どもの側の後ろめたさもないし、むしろパラサイトしてやっているんだ、という気持ちがあるかもしれません。子どもを手放したくない気持ちが親の側にあることを、見透かしていますから。

ひと世代前の親は、負の贈与を与えないために、自己犠牲をしのんでいたわけでしょう。だから、どちらにも親の献身というのはあるんですが、正の贈与を与件とした子どもたちは、正の贈与を前提として自分たちの生活を成り立たせています。パラサイトがそうですし、結婚生活のスタート時から、家賃やマンションの贈与を見こんでいるとかね。

信田　わたしたちはどういう世代なんだろうね。

上野　わたしたちは、親から負の贈与をもらわずにすんだことだけで感謝しなければならなかった世代です。都会に出てきて、自分の生活設計だけ考えればすんだ。

信田　負の贈与から、意識的に避難したってこともあるよね。

上野　両方あると思います。だから、わたしたちの世代には、親に対してある種の後ろめたさがあるんでしょう。

信田　その後ろめたさが、逆に子どもに対する過剰な正の贈与になっている。それはあるなあ。なぜ子どもにそこまでしてやるかって思うことをやる。高度経済成長期に、田舎を捨てて東京に出てきてがんばって働いた親が、子どもをいつまでもパラサイトさせてるっていうことですか？

上野　パラサイトの親はもうちょっと年齢が上です。わたしたちの世代は、一九九〇年代になってからの不況期で、早期定年や中高年リストラに直撃された世代ですね。そこまで甘くない。子どもにいい顔したくても、いい顔し続けるほどのインフラがありません。

信田　そうすると、パラサイトも、あだ花ですかね。いずれなくなるね。

上野　もちろんです。あと十年で親の世代のインフラが崩れますから。

信田　高度経済成長期に、いちばんうまい汁(しる)を吸った最後の世代の親がいなくなることにおいて、パラサイトは消滅していく。

上野　だからそのパラサイトの十年後が不良債権になるっていうことです。

信田　なるほど。パラサイト転じて不良債権になる。

上野　世代間の互助ではなく、世代内の互助のシステムを作っていくしかなさそうですね。つまり血縁と家族を超える関係に期待をつなぐということでしょうか。

信田　そうか、わたしのやっている日々のカウンセリングは、そんな関係づくりの一端を担っているのかもしれないですね。

文庫版のための特別対談

あれから十年経って……

上野　前回の対談を収録したのが約十年前（二〇〇二年九月）になりますが、刊行当時（二〇〇四年五月）、読者からどんな反応がありました？

信田　わたしの業界は、フェミニズムや女性学に縁がない人がほとんどなので、「上野さんと対談したんですね〜」くらいの反応がほとんどでした。クライエントは気を遣って何も言わないし。ただ、プチ同業者あたりからよく「腹をかかえて笑いました」なんて言われたのが、「一澤帆布とルイ・ヴィトン」や、「一本主義と一穴主義」のくだり（笑）。

上野　あははは（笑）、どうでもいいことばっかり。

信田　カウンセリングするときって肝心なことは覚えてなくて、クライエントがポロッとこぼした、どうでもいい一言の方が印象に残るんですよ。それと同じでしょうね。

上野　改めて読み返してみると、お互いにずいぶんエグいこと言ってますね。

信田　そうですか？　わたしは上野さんがエグいと思ったことないですよ。

上野　信田さんがエグいと思うか思わないかは別にして（笑）、信頼して心を開いている相手だから、他では絶対に言えないことを無防備に言ってしまった、ということはありますね。

信田　それはある！　「たたき潰してやりたい」とか「おぞましい」とか頻繁に言ってますもん（笑）。

上野　刊行当時、非婚で非正規雇用の若い女性から、批判を受けました。藁にもすがる思いで読んだら、すごく突き放されたと。「結婚しない非正規雇用の女性が、これから不良債権になっていく」と書いてあるけど、「じゃあ、不良債権になっていくわたしたちはどうすればいいの？」については書いてないと。あれから十年経って不況になり、シングル女性の状況がまたすごく変わりました。

信田　あの当時、三十代だった女性たちは四十代になっているわけで、彼女たちの現状が、ある種予想通りになりましたね。

上野　その問題は、後ほどしっかりお話しいたしましょう。

六十代夫婦は相変わらず？

上野　さて、あれから十年経って、それぞれの世代がどうなったかを、世代を区切って話していきましょうか。

信田　上野さんとの対談ってすごく楽。全部仕切ってくれるから、わたしは好き勝手にお話するだけでいいんだもの（笑）。

上野　じゃあ、信田さんお得意の熟年夫婦問題からいきますか（笑）？

信田　はい。問題は、夫婦というより夫ですよね、あいかわらず。わたしは、最近の週刊誌が気持ち悪くてたまらないのね。あの、六十代定年退職後の男向けのセックス記事はなんなの⁉　電車の吊り広告はそればっかりで、けったくそ悪い。おまえらは、定年退職して、新しい女も作れないし、ボランティアもできない。最後に残るのはセックスで、しかも相手は妻か！　みたいな。

上野　わたしが二〇一一年一月十五日付「朝日新聞」土曜版の「悩みのるつぼ」で答えたのも、定年退職を控えた男性が、妻の方はとっくに冷め切っているけれども、自分の性欲をどうすればいいのかという質問でした。カネもテマもかけられないし、その能力もないから、一番手近なところで同意を得なくてよい「強姦」の相手を探すってことですよね。

信田　そうですよね、年金生活だから金もない。

上野　調査によると、六十代以上の男性のセックスは、前戯もなければ、オーラルセックスもないのがほとんどで、いきなり挿入するパターンが多いらしい。これまで生身の女性から学べなかった彼らが、本を読んでひとりよがりのノウハウを学んで試してみようなんて、そりゃあ妻にとっては迷惑ですよ。当たり前ですけど、どんな女性だってマニュアル通りじゃないんだから。

信田　働き蜂のように働いて、定年退職して、最後はそこに行き着くのか！　ってことが、わたしはほんとう情けなくて……。

家庭内セックスの犠牲になる妻

上野　信田さんのカウンセリングセンターには、「家庭内セックスの復活を夢見ている男たち」の犠牲になった妻たちが来たりしないの？

信田　いっぱい来る！　本当に悲惨ですよ。男たちが雑誌や本を読んで試しても、たいていは妻に拒否されるんですよ。お悩みを投稿するならまだ良い方で、多くは弁護士に相談して、「夫婦生活がないのは、離婚の要件になるんだよ」と妻を脅すんです。応じなければ別れるぞと。暴力ですよね。だから、「夫婦生活だなんて、いまさらなんだ。この三十年間のことを思うと、悔しくて悔しくて」と、わなわな震える妻がいっぱいいる。

上野　妻＝セックス付きの家政婦そのものだってことですね。夫たちは、地位もお金も名誉もあったときはよそに女を作れたけど、定年後に年金生活者になってからは、妻のもとにリターンするってこと？

信田　実際その通りでも、彼らはそうは認めません。これから長い老後を、ふたりでやろうぜ！　ついては、いいセックスしようよ、温泉行こうよ、みたいなことを妻に言う。ぞっとしますよ、妻は。女同士で旅する方がずっといいなんて正直に言おうものなら大変だから、しぶしぶ温泉について行って、夜は仮病使ったりして適当に逃げる。

上野　いまさら生理が来ただなんて、言えないもんねー（笑）。

信田　更年期すぎると、断る理由がなくなるから、女性はほんとに困る（笑）。でも、単にイヤってだけの話が、受け入れられないってどういうことなんだろう。

上野　そりゃあ、男にとっては、全人格を否定されたのと同じなんでしょう。

信田　多くの妻にとって、夫が一日中家にいるなんて状況が、未踏の荒野なんですよ。おまけに、夜は安心してひとりで寝ていたのに、襖を開けたらいままで冬眠していた熊が突然襲ってきた、みたいな恐怖なんですよ。

上野　熊ですか（笑）。あの世代が離婚せずにすんでいるのは、夫婦が別寝室で家庭内別居をしているからだという説がありますよね。

信田　なるほどね。セックスがないから、離婚率が低下しているのか！

上野　そう。セックスアリなら、きっとガマンならないでしょう。

妻は夫の死を願う

信田　ああでも、わたしのところに来る夫婦は、三十代でも四十代でも仲のよい夫婦に限ってセックスレスだったりしますね。妊娠したいときだけ性交するって人たちも多いんじゃないかな。

上野　若い人たちはそうなっているでしょうね。でも、他に楽しみのオプションがない世代が、六十代以上だから。

信田　いま、もっともセックスに貪欲な世代というわけですか。アジアに買春に行って、札束で女の面を張っていた、もっとも芸のない世代ですからね。

上野　それが妻に向いたとき、熟年世代の妻はどうするの？

信田　離婚するリスクは高いですから、一日も早い死を願うんです。

上野　夫の死を望む妻！　北原みのりさんが言っていた通りね。ネットの検索項目では、「夫」「殺す」「死」ってのがキーワード上位だそうです。

信田　心底嬉しそうに言う方いますよ。「先生、夫が糖尿になったんです。体に悪いものどんどん食べさせて、一年か二年の間に殺してやろうと思うんですう〜」って。あの世代は家事がまったくできない男性が多いから、妻の言いなりですよ。復讐されるという危機感を覚えたとしても、糖尿病食を自分でつくるなんて才覚もない。

上野　離婚時年金分割制度ができたのは二〇〇七年だけど、熟年離婚には効果がなかったとデータで実証されています。あの制度では、年金分割の割合は婚姻生活の長さに比例し、最大限が支給額の二分の一ですから。その一方で、遺族年金はどんどん手厚くなっていて、支給額の四分の三まで上がっています。どんなに辛くても、とにかく夫を看取ったらそれなりの見返りがありますよ、というオヤジたちの誘導としか思えない。だから、年金分割制度ができたら熟年離婚が増えるという専門家の予測は、完全に外れましたね。

信田　そうなると、もうひそかに夫の死を願い、遺族年金を早めにもらうしかない。

上野　住まいの問題も大きいですね。離婚したら、家は夫名義だから妻の側が出ていかなきゃいけない。一方で看取れば、住宅ストックもフローも何もかも手に入る。

信田　自分の最期は妻に看取ってもらえるだろうという、夫たちの安心感ってすごいですよね。絶対に自分が先に死ぬと思ってるんだから、ずうずうしい。

上野　わたしの見るところ危機に直面したときの男の三大ストラテジーは、一に「否認」、二に「逃避」、三に「嗜癖」です。まず最初に、自分に都合の悪いことはまさかそんなわけがないと現状否認する。次に、事実を見たくない聞きたくないと逃げる。そして、第三に逃げた先で酒、ギャンブル、女、薬とかにはまる。この男のストラテジー三点セットは、あらゆる世代に驚くほど共通してます。だから、自分の老後について妻を信頼しているというより、たんに見たくない、考えたくない、聞きたくないんだと思う。

信田　中高年の母親もそう。現実否認して、逃避して、娘に嗜癖する。孫が生まれた、娘がどうのってことに集中してますよ。鈍重な母親たちが、ほとんど自覚を持たず。

上野　こわー。

六十代の親と四十代の子どもたち

信田　そういう世代を見てるのが、四十代前後、アラフォーですよ。もう、なんじゃこりゃ⁉　みたいな感じじゃないですかね。母親たちは、世間体もあるから男やギャンブルや酒にはハマれないから、やっぱり手近で、若くて未来があって「わたし」の言うことを全部聞いてくれる娘にいく。

上野　それは、非婚の娘や息子に介護を受けている高齢の母親たちの現実とも重なりますね。とにかく今がやりすごせればそれでよくて、わたしが死んだらこの子はどうなるだろうって考えないもの。

信田　そうすると、介護への期待ってもっとも自己中心的ってことですよね。人間って自分の終末に関しては、非常にエゴイスティックになる。

上野　その点、「お前の世話にはならないよ」って言ってる親のほうがまだまし。パラサイトさせてるのだって同じ。ストックもフローもなくなったときに子どもがどうなるかなんか考えない。なんで親が子どもの自立を促さないのか、不思議です。

信田　家族の安寧のために、子どもを犠牲にしてるってことですよ。あの親たちは、「子どもが出ていくって言わないんです」ってよく言いますけど、子が出ていける状況を自分たちがつくらずに、自己正当化しているだけです。

上野　本当は出ていってほしくないのよね。

信田　いまのままの方がバランスいいから。高度成長期を支えた世代は、自分たちの夫婦生活が形骸化していることを、いまの三十代、四十代の子どもたちの世代で補塡している。つっかえ棒、松葉杖として、子どもたちを使役してるってことです。

上野　それを見ている子ども世代は、そりゃあ非婚になりますよ。

信田　ショートスパンでしか、ものを考えられなくもなるでしょう。ストックがあるなら使ってしまえ、みたいな。面白いですよ、三十代、四十代のものの見方っていうのは。

先を考えない「アラフォー」

上野 それでは、アラフォーにいきましょうか。

信田 既婚／非婚含めていまのアラフォーたちは、自分の老後についても、親の介護についてもほとんど考えないようにしてますよね。「嵐はいつかやってくるけど、いまはまだ青空」みたいな感じで、ほとんど二、三年先しか考えてないように見えます。

上野 いまのアラフォーは、特異な世代だって説があります。バブル期の経験者たちだから、その日暮らしの浮かれ気分でそのまま来てしまい、親の老後が目前に迫ると愕然とし、自分の老後がそのうちにきてまた愕然とする姿を、その下の世代である三十代、二十代が冷たく見るであろうと。これは年齢要因ではなくて世代要因説ですが、どう思われます？

信田 それはバブル期が特異な時代だったという前提ですよね。

上野 そうです。あのときに社会に出てたか出てなかったかでも大きく違う。学生はほとんどバブルの恩恵を被っていないけど、ＯＬとかはけっこうよい目にあってます。オヤジのカネ離れはよかったし、分不相応の消費はしてるし。

信田 わたしは「バブル世代」っていうのがいまいちわからないんですが、子役タレントみたいなものですかね。分不相応な賞賛と対価を得て、栄光をみちゃうと、その後の人生が砂をかむように思えると言いますから。

自分を生きるアラフォーママたち

上野　お受験に狂奔したママたち、いわゆる「VERY」世代がバブル世代ですよね。その人たちの世代から、子育てが大きく変わってきているんだそうですね。

信田　そう、大きく変わってきている。「自分を生きるママたち」ですよ。結婚、出産、子どものお受験の三点セットはちゃんとやるけど、全部自分のため。

上野　これまでのお受験ママとは違うわけ？

信田　要するに、いまの中高生のように「子どものため」なんてことは言わず、「ママのために」っていうのがあからさまなんです。子どもに対して「どうしてママのためにがんばってくれないの？」とか、「そんな点数とったら、ママ悔しいじゃない！」とか言う。

上野　「あなたのために」という自己正当化のためのボキャブラリーが、「わたしのために」に変わっただけで、実態は昔から変わってないってことはない？

信田　そうですよ、実態は昔から「わたしのために」ですよ。だけど、これまでの世代は、「あなたのために」ということでしかパスポートがもらえなかった、他に言説資源がなかったということです。

上野　なるほど。実態があからさまになったっていうのは、大きな変化ですね。「ママのために」がどれだけ子どもにとって必殺技かということは、本人は自覚して言ってるわけですね。

信田　「ママのために」お受験がんばっていい学校に行ってちょうだい、なんて言うママは、同時に、自分が子どもに好かれているかどうかをすごく気にしますね。

上野　わたしのところに来る学生たちが、そういう子どもたちの成れの果てですよ。彼らがどれだけ「ママのために」健気にがんばってるか。

信田　ひょっとしたら、そのママたちも、自分が健気な子どもだったかもしれない。保育園とか幼稚園の先生はみんな言いますよ、「あの傷つきやすいアラフォーママ」って。

上野　傷つきやすい？　「わたしは傷つきました」と自己申告するんですか？

信田　そう、するの。それが相手に対する攻撃になるわけです。「〇〇ちゃんの爪が伸びていたから切っておきましたよ」って連絡帳に書いたりすると、もう大変。自分が責められた！　と思っちゃう。その現象が極端になると、モンスターペアレント化する。

上野　斎藤環（さいとうたまき）の言葉を借りれば、息子だけでなく娘も「去勢*されていない」んですね。女子のまま妻になり、女子のまま母になる。だからかんたんに傷つくのね。

信田　そう、それを「バブル世代」と括れるかはわからないけど、わたしが会う母親像はドラスティックに変わってる。自分が傷ついて、「なんでわたしがこんな目にあわなきゃいけないの！」っていう不全感を丸出しにした母がいるんです。

部外者の夫とガールズ連合

上野　夫の変化もありますね。去勢を受けずに妻となり、母となった女子丸出しの女に対するこれまでの最大の去勢者は夫だったはずだけど、いまの若い夫たちはそうならない。

信田　まあ、去勢されることを望んで結婚する女性もいますけどね。

上野　結婚そのものが女性にとって去勢である、という要素は昔もいまもあるでしょう。自分に社会的な活躍の場がなくなったり、収入がなくなったりしますから。じゃあ、何が大きく変わったかというと、女の選択肢が増えたことによって、社会学の用語でいう「相対的剝奪」がかつて以上に強まったことです。みーんな同じような人生を送るならばお互いに比べずにすんだけれど、四十代にもなれば、仕事を続けてきた同級生と自分との差ができる。主婦になった女性は、そのことによる、社会的な去勢を受けていると思いますよ。

信田　その去勢効果を減衰させるために、実家の母が娘をいつまでも娘のままにしているような、母と娘の共謀関係があると思いませんか？

上野　すっごくあると思う。世代間のガールズ連合ね。夫婦が新居を作るときは、妻方の近くに住むっていうマスオさん現象は相変わらずあって、夫は、母と娘のガールズ連合から部外者の扱いを受けて、無関心・不干渉のままだから、妻への去勢にはならない。

＊**去勢**　フロイト用語で、欲望を社会的な制約によって刈り込むこと。

そこでときどき切れた男がＤＶに走る……と解釈したらわかりやすすぎる？

信田　それは、アラフォーに限らず、あらゆる世代にまんべんなくいますよ。夫も去勢されてないわけですから。彼らは去勢効果を期待するんじゃなくて、男児に戻れると思って結婚するんですよ。

中産階級の崩壊が家族を変えた

上野　ひと昔前、アメリカで『子ども時代を失った子どもたち』（マリー・ウィン、平賀悦子訳、サイマル出版会、一九八四年）という本が出ました。その中では、子どもを子ども時代から隔離する指標が、カネとセックスだとされています。つまり、親は子どもにいろんな相談をしても、家の経済状態と、夫婦間のセックスの問題には触れさせない、というルールが守られているかどうか。このルールは、いま侵されてると思います？

信田　侵されてますね。貧困化が進むにつれて顕著になってます。

上野　ああ、なるほど。

信田　性はあらわになってますよ。これが性虐待や、ある種の虐待の増加を生んでいると思う。「虐待は子どもをしつけるため」とか言いますけど、わたしはやっぱりそこでは子どもを自分と対等に扱ってしまっているんだと思う。それはいまの親が去勢されてないってことと、表裏一体なんです。自分が子どもであるという自覚を持たない親たちが、子どもが子どもであることを許さないんですよ。

上野　それは、超わかりやすい。さすが、信田さん！

信田　上野さんにほめられたら、嬉しいわ（笑）。

上野　社会史家のフィリップ・アリエスが言う通り、「子ども時代」というものは近代の発明なだけでなく、中産階級の属性なわけです。

信田　そう、それがなくなったんです。

上野　おー、やっぱり。中産階級は見事に崩壊したんですね。

信田　そして、貧困層がすごいカオスを生んでますよ。その象徴が、抵抗なく娘のパンツを売ったり、娘に売春させてピンはねする母親。そういうことは、児童相談所なんかだと頻繁に見聞きするんだけど、社会学とかでは、その現実を中産階級が崩壊したってところまで捉えるまでに至ってないんです。

上野　戦前にだって貧困はありましたし、昔の貧困の方がなにしろ激烈で、娘を女郎屋に売りとばしたりしました。じゃあ、昔といまとどう違うのかっていうと、昔の貧困には貧困の文化を支える弱者の共同体があった。文化って必ず集団的なものだから、貧困の文化が成立するためには、弱者同士のコミュニティが必要なのよ。

家族が孤立してないから、子どもが虐待されても、どこかに逃げ場があったんだと思う。子どもにも仲間集団があったし、子どもの側に逃げていく知恵もあった。それがいまは公的な逃げ場しかない。

信田　いまは、携帯電話やインターネットによって貧困のコミュニティではなく、貧困による性ビジネスが発達してしまってる。どんな貧困者でも携帯電話を持ってますし、いわゆるパンツ売りの情報とか、家出少女をかくまうサイトとかがあって、逃げる場所すらビジネスに組み込まれてる。女の子たちが逃げた先で、強姦されて妊娠するなんて事件がいっぱいあります。

上野　うーん。家族については、近代はもう終わったと認識しなくてはいけませんね。

大きく変わった「結婚の条件」

上野　アラフォーには非婚者も既婚者もいますが、非婚者の数は増えたとはいえ、まだ少数派。この世代は、「負け犬」の人口学的先兵なんです。男女とも非婚率が高まっていて、四十代男性の四人にひとり、三十代男性の三人にひとりは生涯非婚者になるだろうという予測があります。女性はもう少し減りますが、男性に対応する割合が生涯非婚者になるでしょう。それを見ているいまの二十代が、その反動で婚姻率が高まるのかどうか、予測がつかないところが面白いんですが。とにかく四十代、三十代までは非婚化が怒濤のごとく進んでおり、この世代が将来にわたって結婚する確率は非常に低いだろうと言われています。

非婚者の男女には、非正規雇用率が圧倒的に高いんです。だから、結婚／非婚の割合と、正規／非正規の雇用形態が怖いくらいに対応してる。あわや事業仕分けの対象になりかけた政府の外郭団体の家計経済研究所ってところが、二十五歳から三十五歳の年齢層の同じサンプルの女性を十年間追跡するという、ものすごく手間のかかるパネル調査をやっています。

信田　すごいですね、存在意義あるじゃない。

上野　そう、研究所だって意義があるのよ。そこから驚くほどわかりやすい結果が出たんです。十年前にはシングルだった女性たちを追いかけて、十年後の結婚確率と出産確率を比較すると、正規雇用者のほうが非正規雇用者よりも結婚確率が高く、出産確率が高いというデータが出た。つまり、結婚と出産の条件は、「妻の側」の安定した経済条件だった、ということ。

そうなると、少子化に対する政策インプリケーションはものすごく簡単。女性に正規雇用を提供すればいいんです。でも、雇用の現実はまったく逆方向に進んできているので、少子化になるのは当然ですね。結果として、非正規雇用で結婚願望が高いにもかかわらず、結婚確率が低い人たちの年齢層が上がってきているということになる。その人たちがアラサーからアラフォーに近づいて、さらに親の介護年齢に近づいています。シングルのまま。そして、正規雇用はますます遠ざかる……。

信田　衝撃的なデータですね。

上野　それらのデータをまとめた『女性たちの平成不況』（樋口美雄・太田清・家計経済研究所編、日本経済新聞社、二〇〇四年）の、最後のページを読みましょう、恐ろしいですよ。「調査、分析の結果浮かび上がってきたのは、子供たちの暗い将来を確信する女性たち、慢性化した不安を生きる女性たち、そしてその不安に耐える女性たちの像である。将来を悲観しつつ、どうして子育てができるのだろう。どのように生きようとすればいいのだろう」これが結びの三行なのよ！

信田　なんと恐ろしい！

上野　救いがなさすぎでしょ？　この一節を紹介したくて、この本重たいけど持ってきました。大学院ゼミで読んだけど、で、どうすればいいわけ？　って若い人たちは思うわね。

パラサイトシングルの現在は

上野　どんな社会変動であっても、新しいトレンドというのは、最初はあえてそれを選ぶ選択的なタイプの人たちによって起きるんですが、それが増えてくると、非選択的なタイプが出てきます。「負け犬」も、パイオニア世代の酒井順子（さかいじゅんこ）さんたちは選択的な「負け犬」だったけど、そのうち結婚したいのにできないからシングルを続けているという非選択的なタイプが出てくる。「なしくずしシングル」っていうんですが、シングルのハードルが下がるからですね。

それを支えてきたのがこれまでは親のインフラでした。ところが、これも家計経済研究所のデータで、この十年間にパラサイトシングルが変わったと証明されています。一九九三年から二〇〇二年のあいだに二十五から三十五歳の年齢層に何がおきたかというと、自分の収入が減少し、親の家に入れるお金が増え、家事貢献度が高まった。つまり、親も逼迫してきているから、子どもの所得が十年前より減少しているのに家計に前よりお金を入れなくてはならず、家にいるなら家事もやりなさいという要求のもとにおかれ、以前のように優雅な独身貴族とはいかなくなった。つまり、いまのパラサイトたちは、親の家から出ていきたくても出ていけない人たちなんですよ。昔は自分の稼いだお金はほとんど可処分所得になっていたのが、もはやそういうわけにいかなくなったんです。

信田　そう聞くと、典型的な事例が浮かびますよ。昔のパラサイトの典型的な例は、航空会社の国際線の花形パイロットの家庭だったんです。父親の収入によって家族は最高レベルの快適度を得られるけども、乗客の命を預かるという仕事の性格上、家族は極度の緊張を強いられる。子どもたちはよくてパラサイト、悪くて統合失調症って例がいっぱいあったんです。

いまは、ＪＡＬすら倒産する時代ですから、親夫婦がカツカツで暮らしているとか、父親がアル中で死んだりとかして、パラサイトのひきこもりの息子がコンビニでバイトして月三万の食費を家に入れてる……とかが典型的な例ですよ。それで、息子は空いた時間でゲームをやって、暇があると茶碗を洗ったりする。上野さんが言ったデータがすべて現実と重なっているんで、びっくりした。

上野　こういうデータは、問答無用で説得力あるよね。

非正規雇用・非婚女性のその後

上野　格差、格差と騒がれて社会問題となっているのに、それからすらこぼれ落ちて、ないものとされる存在が、非正規雇用で非婚の女性です。なぜかというとタテマエ上、その人たちは「結婚待機組」だから。昔でいうとカジテツ（家事手伝い）ですね。非婚の女が家にいてアルバイトぐらいしか仕事をしていないのは当たり前だった。その人たちが「なしくずしシングル」のまま四十代になり、同居している親が高齢化しつつある。親は年金生活に移行し、経済的余裕を失い、要介護になっていくと、一番手近な介護要員は男女を問わず非婚の同居の子どもになります。親にとってはもっけの幸いだけど、その娘や息子たちは職場が非正規雇用だから、介護のためにわりあいと簡単に職を投げ出し、あるいは職場からすぐに放り出されて、親の年金パラサイトになる。住む家だけはあっても、介護を続けていくうちににっちもさっちもいかなくなって、やがて虐待が起きる……。

十年前の「結婚しない非正規雇用の女たちが、不良債権になるであろう」という予測が、目に見える現実になってきているということです。その人たちの親は、虐待を受けながらも、なんとか子どもに看取ってもらえるかもしれないけど、そのあとには低年金・無年金の、家族も家も持たない中高年者が残るんですよ。

信田　斎藤環さんも、最近は社会的ひきこもりがテーマの講演では、ファイナンシャルプランナーの話をセットでするんですよね。つまり、家計をどうしていくかが、今後のひきこもりの最大の問題で、心理的にどうのこうのっていうのは問題ではないっていうことですね。

上野　皮肉なのは、非正規雇用のシングルたちは結婚待機組と考えられ、実際結婚願望が高いにもかかわらず、データはまったく逆の現実を示していることですね。ここ十年の変化が示す一番大きな教訓は、女にも経済的な安定というのは必要なんだということですね。

信田　わかりやすいですね〜。

男の「婚活」と「婚圧」事情

上野　うちのゼミの男子学生が、男性の「婚活」をテーマに研究していて、男にとって「婚圧」が高まってるって言うんですね。「こんなふうに結婚できる人とできない人に分かれてくると、結婚が男の世界における業績主義競争の指標になる」と言うんです。

信田　ホモソーシャルそのものですね。

上野　中産階級が成立した近代社会で、一夫一婦制が定着しました。一夫一婦制を「女性の世界史的勝利」と呼んだのはエンゲルスでしたが、とんでもない。それまで、女が男の間で「不平等分配」されていたのが、「平等分配」されるようになっただけ。社会学者の落合恵美子（おちあいえみこ）さんはそれを「再生産平等主義」*と呼んでいます。

＊**「再生産平等主義」**　男なら誰でも結婚し家族を持つことができるようになる社会。

その学生に「最近になって女の不平等分配がまた始まったわけよね。じゃあ近代以前の女の不平等分配はどういう原理でなされていたと思う?」って聞いたら、「それは属性原理です」って答えるわけ。身分で女が不平等分配されていたと。「属性原理が、近代の平等分配を経て、もう一度不平等分配になったとき、原理はどう変わったの?」と聞くと、「業績原理です」って。近代という全員結婚社会が成立したわずかな期間をすぎて、女の分配原理が属性原理から業績原理に変わった。結婚が業績主義の指標のひとつになると、男にとっては結婚してないということ自体がスティグマになる。「婚圧」はかつての全員結婚時代よりも強くなった、というのが彼の説。

信田　男にとって?

上野　そう、女にはこれまでも別の理由での婚圧はあったけど、男にとっての婚圧が高まったという説です。みんなが結婚した時代と、結婚する人としない人の分化が起きた時代では、婚圧の性格が違う。

信田　男は何を資源にして結婚できるんですかね?

上野　女の側は、やっぱり業績主義で結婚する男を選ぶんでしょう。地位と経済力ですよ。女は男を「ホモソーシャルな男社会におけるその男のポジション」で選ぶ。それは学歴の高い女でも低い女でも、あんまり変わっていない。

若い男のフェミニン化とDVの関係

上野　これだけ男がフェミニン化してると言われるのに、これだけDVが減らなくて、むしろデートDVのような新たな形態まで出現して、悪化しているように見えるのはなぜなんでしょう?

信田　わたしは、DVというのは、男性の自信喪失と自信のなさにつながっていると思うんですね。多くのDVは、妻に馬鹿にされたとか下に見られたとかいうところが引き金になっているんですよ。だから、男にとって大変な世の中になればなるほど、DV的な行為におよぶ男性が増えるというのは不思議じゃない。

上野　馬鹿にされるとキレる、という「男らしさ」を身に付けた男の子たちが、この不況の十年の間に育ってきてるわけね?

信田　DVが増えたというよりも、DVを受けた側が「いやだ」と言うようになったから、増加したように見えるだけだと思うんですが。

上野　そう、そうですよね!　女の受容限度が下がっただけで、男はきっと昔から変わってないんだ。

信田　変わってませんよ。親しい間柄での暴力こそ女は受忍しなきゃいけなかったのが、法制化などによって、そうじゃないんだという情報が徹底してきた。

上野　男が変わったわけじゃなくて、女が変わったんですね。昔は一緒に歩いていて、他の男を見ただけで「おまえ、色目使ったな」って殴る男がいても不思議はなかったけど。

信田　そうですよ。お宮貫一なんて、まさにデートＤＶですよね。

上野　『金色夜叉』ですか、ふるっ（笑）。

信田　金に眩んだだけで、なんで殴られなきゃいけないんだっていうのよ（笑）。

上野　男はあいかわらず、女は自分の言うことを聞くものだとかたくなに信じてるわけ？

信田　聞くものというより、聞いてくれるものと期待してますよね。

上野　そうなると、生身の女の扱いに困り、バーチャルな女の方がましだってことになるのでしょうか。なーるほど。

信田　バーチャルな世界にいってる人ほど、生身の女に対する幻想がすごいんですよね。

上野　当然、裏切られるよね。

信田　裏切られるたびに憤怒ですよ。彼らは、どうしてボクの期待に沿ってくれないんだ、って怒りますから。こういう風に約束していたのに、どうして君は約束を破るの？ボクチンかわいそう……ってことで暴力をふるうんです。

　六十代の夫が妻に性交を強要するＤＶの構図と、二十代の若者たちが自分の女性幻想から離反した女性に、一種の被害者意識をもって暴力をふるうＤＶの構図は、まったく変わらないんですよ。

非婚化に歯止めはかかるのか

上野　それじゃあ、変わっていない男を、女は選ぶ気になれないじゃない？　そうすると非婚化はますます進む……？

信田　貧困化が進むと、結婚願望は強くなるんじゃないでしょうか。

上野　あ、そうか。結婚願望があるのに結婚しないいまのアラサーは、願望の期待値を下げないためにそのまま非婚に留まっている「なしくずし非婚」と呼ばれている人たちですが、もうひとつ下の世代は、アラサーたちのようにふるまうとあのようになってしまうということを予期学習しているから、結婚は増えるかもね。

信田　結婚ですべてが決まるわけじゃないという、ある種の「割り切り婚」が増えてくると思うんですよ。

上野　なるほどね！

信田　社会的ステイタスも得られるし、一応結婚しておきましょうって。

上野　結婚に過度な期待を持たないから、かえってハードルが下がると。

信田　期待値は、確実に下がってますから。

上野　わかる、わかる。アラサーで結婚する子たちは、「一応、しておきます」みたいな言い方しますね。データからみると、期待値が低い人ほど結婚の蓋然性が高く、期待値が高いと結婚の蓋然性が低いと出てる。

信田　ま、上がりようがないもんね。

上野　女たちも、結婚が自分の人生を変えないと思いはじめた。結婚しても女子道をそのまま維持できると。

信田　あいかわらず、結婚のパフォーマンスをやってみたいってのはあるんじゃないですか。教会で結婚式挙げて、ウェディングドレス着てって。

上野　それはひと昔前の話で、いまはもう少し地味婚。離別家庭に育った人にも結婚願望はあるし、結婚にはセキュリティ願望が強いと思いますよ。セキュリティのためだったら、期待水準下げてもってことで、結婚は増えるかもしれないわね。結婚がふたたび生活保障財になるのでしょうか。

そして、「わたしたち」はどうすれば？

上野　いままでの話を聞いた非婚の若い世代から、「じゃあ、わたしたちはどうすればいいわけ？」って聞かれたら、信田先生、どうしましょう？

信田　そうね、「わたしたち」が男の子だったとして……男の子には特にいいや（笑）。女の子にはね……そうね、やっぱり経済力を身に付けてください、って答えます。それに尽きる。絶対に経済力は手放さないでもらいたい。

上野　同感です。でも、心理学者からココロではなくてカネのアドバイスが出るなんて意外でした（笑）。それでも、若くて非婚でさらに非正規雇用者の女性から「わたしたち、好きで非正規雇用になったわけではないんです。これしかなかったんです」って言われたら？

信田　すごく月並みな答えなんだけど、非正規雇用者同士の連帯が大事なのでは。

上野　わたしもそう思う。さっき自分で言ってなるほどと思ったんだけど、昔は、貧困には貧困の文化があったのよね。貧しい人たち同士で、助け合えばいいじゃない。シェアハウスなんてそのひとつですよ。

もうひとつ、「仕事やお金がないから結婚できないし、しない」って言ってる人たちにわたしが言いたいのは、敗戦直後、焼け出され引き揚げてきた人たちは、それでも結婚して子どもを産んで、必死になって助け合って生きてきたのよってこと。あれほど貧しくて追いつめられた時代、ないないづくしの男女は助け合って生きるしかなかったから、婚姻率は低くなかった。貧乏人同士で結婚して、新居は四畳半一間のアパートで、みかん箱ひっくり返してちゃぶ台にして、お茶碗二つからはじめました、って人たちがいっぱいいるのよ。それをやりたくないから結婚しないわけでしょう。

信田　十代後半のヤンキー早婚説ってありますけど、あれもやっぱり貧困対策ですよね。アパート一間でお金なくて中絶もできないから結婚しようぜっていうケースも、ひとつの貧困の文化ですよね。残念ながら、家族を形成すると孤立化しちゃうことも多いから、そこが開けると虐待も防げるかなと。

上野　異性愛のカップルじゃなくても、同性愛でも友人同士でもシングルマザー同士でもいいはずなんだよね。

信田　そうすると、貧困層であるというラベルを、自ら貼ることが大事？
上野　イエス！　やっぱり自分の現実を否認しないことですよ。
信田　うん、そこだよね。自分を弱者だと認める強さですよ。援助を求めない人に、援助は与えられませんから。
上野　そう。「助けて」というための「弱さの情報公開」*が大事。これで、少しは読者を突き放さない結論になったでしょうか。

（二〇一一年一月二十八日収録）

＊「弱さの情報公開」　北海道浦河の統合失調症等の患者による生活支援施設「べてるの家」の標語のひとつ。

あとがき――「癒(いや)し」より「上野千鶴子」

信田さよ子

「わたしにとって上野千鶴子とはなにか」などという本が何冊も生まれても不思議ではないだろう。少なくともわたしにとって上野さんはそのような存在だ。

一九七〇年代の終わりごろだったと思う。わたしは、都下M市の社会福祉会館で、今は廃刊になってしまっている「朝日ジャーナル」を読んでいた。長男を出産し、失職の後やっとみつけた週一回の仕事が終わった昼休みだった。最後のページを開くと、そこにひとりの若くてかわいい女性の写真とともに「アメリカ便り」というコラムが掲載されていた。内容は忘れたが、その才気溢(あふ)れるみずみずしい文章はわたしを釘付(くぎづ)けにした。このような才能と知性に恵まれた女性がいる。そのことを知っただけで、当時のわたしは大きな希望を与えられる気がした。それがわたしと「上野千鶴子」との出会いだった。

やっとの思いで一歳を過ぎたばかりの子どもを保育ママさんにあずけ、必死で「社会復帰」を果たしたわが身からすれば、まぶしいほどの彼女は、先の見えない航路を照らしてくれる灯台のように思えた。同世代でそのように思っていた女性は少なくないだろう。

あれから三十年近くを経て、こうして「あの上野千鶴子」との対談が一冊の本になるとは、想像もしなかった。本書で気軽に上野さんと呼び、ため口をきいているわたしが信じられない。自慢じゃないけど、上野さんの書いたものにはほとんど目をとおしてきた。そのたび、最初から目をつけてたんだもんねー、とひとりで悦に入ったりするのが楽しみだった。なんだか上野千鶴子ファンだったことをはじめてカムアウトしたおやじのように興奮しているわたしだ。

なぜこんなことを書くのかといえば、理由がある。本書において何度も触れているが、三十代、いやあらゆる世代の女性たちに、視線の向きを変えてほしいと思うからだ。ほんとのわたしを探したり、自分探しの旅に出たり、そのままの自分を好きになろうとしたり、こんなわたしでも癒してほしいと願ったりするエネルギーと時間があるなら、ためしに上野千鶴子の本を一冊読んでほしい。自分の「こころ」だけをみつめて「癒し」なんていやしいことばを唱えているのは、気休めにキャベツの皮をむいているようなもので、出口はない、とわたしは思う。視線の向きを変えるのに、上野さんの本はこの上なく役立つだろう。もちろん本書もそのひとつである。

上野さんの本を難解と思われるかたもいるだろうが、それはおそらく男性中心の社会に参入するための共用語が使われているからだ。それに比べて、上野さんの語りことばはこの上なく明快でわかりやすい。本書で上野さんが語っているのは、専門書で読めばおそらく何冊分にも匹敵するような内容が濃縮されたものだ。それがわたしのおしゃべりと十分かみ合っているのは、とてもすごいことだとよくわかる。

かつて上野さんは「当事者性」ということばをわたしにプレゼントしてくれた。わたしからは、上野さんは自分が当事者である視点を決して忘れない人なんだ、ということばをお返ししたい。だからこそ上野さんは、少数者に絶えず着目しており、かぎりなくやさしい。

この対談をとおして、わたしは多くのことばを獲得することができた。そして絶妙のタイミングで発せられる鋭い質問によってタジタジとさせられ、新たな宿題を与えられた気がする。

読者のかたたちが本書をお読みになって、どうしようもない現実をなんとかブレークスルーできるきっかけをつかんでいただければ幸いだ。上野さんに出会ったことで、わたしがカウンセラーとしての新たな方向性を見出せたように。

編集の松戸さち子さんに企画していただいたことで、長年のわたしの夢が叶(かな)えられた。古屋信吾さんにも併せてお礼を申し上げたい。

本当にありがとうございました。

二〇〇四年三月

文庫版あとがき

信田さよ子

黒地に鋭角的なイラストのカバーの本は見るからに戦闘モードだった。そんな上野千鶴子さんとの対談本が、このたび文庫という新たな装いで出版されることになったことを、心よりよろこびたい。

ひとにはしばしば予想もできないことが起きるものだ。この十年間に、内閣府のＤＶ加害者更生プログラム調査研究と法務省の性犯罪者処遇プログラム作成にそれぞれ関与する機会が与えられた。前者の活動が淵源となって、今日に至るまでＤＶ加害者プログラムのファシリテーターとして実践に携わっている。さらに、八年近くＤＶ被害者のグループカウンセリングの実践経験を積み重ねることができた。なぜわたしがここまでＤＶにこだわるかといえば、結婚とＤＶは、車の運転と交通事故との関係に似ているからだ（もちろん運転者は男性）。違っているのは、交通事故は第三者が目撃するが、ＤＶを目撃するのは子どもしかいないという点だ。

そんなわたしにとって、被害を受けた女性ばかりでなく、ＤＶを行使する男性とかかわることができたことは、ＤＶを具体的かつ重層的に理解・咀嚼するのに役立った。

十年を経て改めて読み返してみたが、上野さんと話した内容はまったく古びていない。それは驚くほどである。むしろわたしのDVに対する初々しい熱情がそのまま溢れていて、気持ちがいいほどだ。裏返せば、この十年間のわたしの経験は、対談内容を上書きすることができなかったともいえる。輸入された方法・プログラムを実践するということは、そういうことかもしれない。DVということばが広く共有されるようになった今、本書を読んでいただければ、結婚とDVがどれほど密接につながっているか、それが社会の仕組みとどのようにつながっているかが手にとるようにわかっていただけるはずだ。

DV被害を受けた女性はしみじみ語る、「結婚ってリスキーよね」と。だからといって結婚しない女性が激増するわけではない。リスキーだからこそ高まる期待もある。どう転ぶかわからないからこそ結婚で自分が変わるかもしれないという期待だ。それに、現実がはるかにリスキーになれば、一番たしかな保険として結婚の価値は上がるかもしれない。しかし世情が不安定でリスキーになればDVは減るというわけではない。保険だったはずの結婚によって裏切られる女性たちの姿は、あまりにありふれている。

笑いのツボを押さえながらも、実はとても深い内容にまで踏み込んだ本書は、結婚についての最良の指南書になっている。文庫化を機会に、あらゆる世代の女性に、そして男性にも手軽に読んでいただきたい。

二〇一一年四月

本書は、二〇〇二年九月収録の対談に加筆し、二〇〇四年五月に講談社より刊行されたものです。文中の年代・団体名称等は単行本当時のままとし、一部訂正を加えました。

結婚帝国（けっこんていこく）

二〇一一年 五 月一〇日 初版印刷
二〇一一年 五 月二〇日 初版発行

著　者　上野千鶴子（うえのちづこ）・信田さよ子（のぶたさよこ）

発行者　小野寺優
発行所　株式会社河出書房新社
〒一五一-〇〇五一
東京都渋谷区千駄ヶ谷二-三二-二
電話〇三-三四〇四-八六一一（編集）
〇三-三四〇四-一二〇一（営業）
http://www.kawade.co.jp/

ロゴ・表紙デザイン　粟津潔
本文フォーマット　佐々木暁
本文組版　株式会社キャップス
印刷・製本　凸版印刷株式会社

落丁本・乱丁本はおとりかえいたします。
Printed in Japan ISBN978-4-309-41081-4

寄席はるあき

安藤鶴夫〔文〕　金子桂三〔写真〕　40778-4

志ん生、文楽、圓生、正蔵……昭和30年代、黄金時代を迎えていた落語界が今よみがえる。収録写真は百点以上。なつかしい昭和の大看板たちがずらりと並んでいた遠い日の寄席へタイムスリップ。

免疫学問答　心とからだをつなぐ「原因療法」のすすめ

安保徹／無能唱元　40817-0

命を落とす人と拾う人の差はどこにあるのか？　不要なものは過剰な手術・放射線・抗ガン剤・薬。対症療法をもっぱらにする現代医療はかえって病を増幅・創出している。あなたを救う最先端の分かりやすい免疫学の考え方。

映画を食べる

池波正太郎　40713-5

映画通・食通で知られる〈鬼平犯科帳〉の著者による映画エッセイ集の、初めての文庫化。幼い頃のチャンバラ、無声映画の思い出から、フェリーニ、ニューシネマ、古今東西の名画の数々を味わい尽くす。

あちゃらかぱいッ

色川武大　40784-5

時代の彼方に消え去った伝説の浅草芸人・土屋伍一のデスペレートな生き様を愛惜をこめて描いた、色川武大の芸人小説の最高傑作。他の脇役に鈴木桂介、多和利一など。シミキンを描く「浅草葬送譜」も併載。

実録・山本勘助

今川徳三　40816-3

07年、大河ドラマは「風林火山」、その主人公は、武田信玄の軍師・山本勘助。謎の軍師の活躍の軌跡を、資料を駆使して描く。誕生、今川義元の下での寄食を経て、信玄に見出され、川中島の合戦で死ぬまで。

恐怖への招待

楳図かずお　47302-4

人はなぜ怖いものに魅せられ、恐れるのだろうか。ホラー・マンガの第一人者の著者が、自らの体験を交え、この世界に潜み棲む「恐怖」について初めて語った貴重な記録。単行本未収録作品「Rojin」をおさめる。

狐狸庵交遊録

遠藤周作　40811-8

遠藤周作没後十年。類い希なる好奇心とユーモアで人々を笑いの渦に巻き込んだ狐狸庵先生。文壇関係のみならず、多彩な友人達とのエピソードを記した抱腹絶倒のエッセイ。阿川弘之氏との未発表往復書簡収録。

花は志ん朝

大友浩　40807-1

華やかな高座、粋な仕草、魅力的な人柄——「まさに、まことの花」だった落語家・古今亭志ん朝の在りし日の姿を、関係者への聞き書き、冷静な考察、そして深い愛情とともに描き出した傑作評伝。

ヘタな人生論より徒然草　賢者の知恵が身につく“大人の古典”

荻野文子　40821-7

世間の様相や日々の暮らし、人間関係などを“融通無碍な身の軽さ”をもって痛快に描写する『徒然草』。その魅力をあますことなく解説して、複雑な社会を心おだやかに自分らしく生きるヒントにする人生論。

志ん朝のあまから暦

古今亭志ん朝／齋藤明　40753-1

「松がさね」「七草爪」「時雨うつり」……、今では日常から消えた、四季折々の行事や季語の世界へ、粋とユーモアあふれる高座の語り口そのままに、ご存じ古今亭志ん朝がご案内。日本人なら必携の一冊。

日本料理神髄

小山裕久　40790-6

日本料理とは何か。その本質を、稀代の日本料理人が料理人志望者に講義するスタイルで明らかにしていく傑作エッセイ。料理の仕組みがわかれば、その楽しみ方も倍増すること請け合い。料理ファン必携！

新編　百物語

志村有弘〔編・訳〕　40751-7

怪奇アンソロジーの第一人者が、平安から江戸時代に及ぶさまざまな恐い話を百本集めて、巧みな現代語にした怪談集成。「今昔物語集」「古今著聞集」「伽婢子」「耳袋」など出典も豊富でマニア必携。

ちんちん電車
獅子文六　40789-0

昭和のベストセラー作家が綴る、失われゆく路面電車への愛惜を綴ったエッセイ。車窓に流れる在りし日の東京、子ども時代の記憶、旨いもの……。「昭和時代」のゆるやかな時間が流れる名作。解説＝関川夏央

天下大乱を生きる
司馬遼太郎／小田実　40741-8

ユニークな組み合わせ、国民作家・司馬遼太郎と“昭和の竜馬”小田実の対談の初めての文庫化。「我らが生きる時代への視点」「現代国家と天皇制をめぐって」「『法人資本主義』と土地公有論」の三部構成。

少年西遊記　1・2・3
杉浦茂　1／40688-6　2／40689-3　3／40690-9

皆さんおなじみの孫悟空でござい。これからぼくの奇妙奇天烈な大暴れぶりを、お目にかけることになったので、応援よろしく。漫画の神様手塚治虫も熱狂した杉浦版西遊記がはじめて連載当時の姿で完全復活！

少年児雷也　1・2
杉浦茂　1／40691-6　2／40692-3

でれでれーん。われらが児雷也の痛快忍術漫画のはじまりはじまり。大蛇丸、ナメクジ太郎ら、一癖もふた癖もあるへんてこ怪人相手に紙面狭しと大暴れ。杉浦茂の代表作がはじめて連載当時の姿で完全復活！

大人の東京散歩
鈴木伸子　40986-3

東京のプロがこっそり教える情報がいっぱい詰まった、大人のためのお散歩ガイド。変貌著しい東京に見え隠れする昭和のにおいを探して、今日はどこへ行こう？　昭和の懐かし写真も満載。

国語の時間
竹西寛子　40604-6

教室だけが「国語の時間」ではない。日常の言葉遣いが社会生活の基盤となる。言葉の楽しさ、恐しさを知る時、人間はより深味を帯びてくる。言葉と人間との豊かな関係を、具体的な例を挙げながら書き継いだ名随筆。

満州帝国

太平洋戦争研究会〔編著〕　40770-8

清朝の廃帝溥儀を擁して日本が中国東北の地に築いた巨大国家、満州帝国。「王道楽土・五族共和」の旗印の下に展開された野望と悲劇の40年。前史から崩壊に至る全史を克明に描いた決定版。図版多数収録。

二・二六事件

太平洋戦争研究会〔編〕　平塚柾緒〔著〕　40782-1

昭和11年２月26日、20数名の帝国陸軍青年将校と彼らの思想に共鳴する民間人が、岡田啓介首相ら政府要人を襲撃、殺害したクーデター未遂事件の全貌！　空前の事件の全経過と歴史の謎を今解き明かす。

太平洋戦争全史

太平洋戦争研究会　池田清〔編〕　40805-7

膨大な破壊と殺戮の悲劇はなぜ起こり、どのような戦いが繰り広げられたか——太平洋戦争の全貌を豊富な写真とともに描く決定版。現代もなお日本人が問い続け、問われ続ける問題は何かを考えるための好著。

ヒゲオヤジの冒険

手塚治虫　40663-3

私立探偵伴俊作、またの名をヒゲオヤジ！　「鉄腕アトム」「ブラック・ジャック」から初期の名作まで、手塚漫画最大のスターの名演作が一堂に！　幻の作品「怪人コロンコ博士」を初収録。全11編。

華麗なるロック・ホーム

手塚治虫　40664-0

少年探偵役でデビュー、「バンパイヤ」で悪の化身を演じた、手塚スター一の悪魔的美少年ロック、またの名を間久部緑郎。彼のデビュー作から最後の主演作までを大公開！　「ロック冒険記」幻の最終回。

幸福の無数の断片

中沢新一　40349-6

幸福とは何か、それはいっさいの痕跡を残さないまま、地上から永遠に消え去ってしまうかもしれない人生の可能態。キラキラ飛び散った幸福の瞬間を記録し、その断片たちを出会わせる、知と愛の宝石箱。

桃尻語訳 枕草子　上・中・下

橋本治

上／40531-5
中／40532-2
下／40533-9

むずかしいといわれている古典を、古くさい衣を脱がせて、現代の若者言葉で表現した驚異の名訳ベストセラー。全部わかるこの感動！　詳細目次と全巻の用語索引をつけて、学校のサブテキストにも最適。

シネマの快楽

蓮實重彦／武満徹　47415-1

ゴダール、タルコフスキー、シュミット、エリセ……名作の数々をめぐって映画の達人どうしが繰り広げる、愛と本音の名トーク集。映画音楽の話や架空連続上映会構想などなど、まさにシネマの快楽満載！

カリフォルニアの青いバカ

みうらじゅん　47298-0

お、おまえらどぉーしてそうなの。あー腹が立つ。もういいよホントに……。天才的観察眼を持つ男・みうらじゅんが世にはびこるバカを斬る。ほとばしるじゅんエキス、痛快コラム＆哀愁エッセイ。解説＝田口トモロヲ

万博少年の逆襲

みうらじゅん　40490-5

僕らの世代は70年の大阪万博ぐらいしか自慢できるもんはありません。とほほ……。ナンギな少年時代を過ごした著者が、おセンチなエロ親父からバカ親父への脱皮を図るために綴った、青春へのオマージュ。

時刻表2万キロ

宮脇俊三　47001-6

時刻表を愛読すること40余年の著者が、寸暇を割いて東奔西走、国鉄（現ＪＲ）266線区、２万余キロ全線を乗り終えるまでの涙の物語。日本ノンフィクション賞、新評交通部門賞受賞。

水木しげるの【雨月物語】

水木しげる　40125-6

当代日本の“妖怪博士”が、日本の古典に挑む。中学時代に本書を読んで感銘を受けた著者が、上田秋成の小説をいつか自分の絵で描きたいと念願。「吉備津の釜」、「夢応の鯉魚」、「蛇性の婬」の３篇収録。